Conception graphique et illustrations :
Laurence Maillet

Connectez-vous sur www.editionsminerva.fr
© 2007, Éditions Minerva, Genève {Suisse}
ISBN : 978-2-8307-0950-6

Sophie Brissaud

La table du thé

PHOTOGRAPHIES Isabelle Rozenbaum ❈ STYLISME Lissa Streeter

Minerva

Sommaire

7 Introduction
12 Recettes de base

14 Le Japon

19 Préparation du macha
19 Thés de céréales
21 Concombre farci au crabe
et au gingembre rouge
25 Asperges et haricots verts
au miso
26 Nouilles de sarrasin au wasabi
31 Chazuke au saumon demi-sel
32 Foie de lotte cuit à la vapeur
33 Poulet frit
34 Châtaignes au thé vert
35 Yôkan de patate douce
aux marrons
36 Financiers au thé vert macha

38 La Corée

41 Thé de kaki
42 Steak tartare à la poire
42 Salade de bulots pimentée
44 Croquettes de crabe
45 Tofu en deux cuissons
47 Pommes de terre braisées
49 Boulettes de châtaigne

52 La Chine

62 Pocha, thé tibétain au beurre
62 Bubble tea
65 Œufs au thé
66 Toasts aux crevettes
67 Soupe crémeuse au maïs
71 Raviolis chiu chow

74 Bouchées de poulet au citron
75 Gâteau de navet
76 Travers de porc
à la sauce de prune
79 Tofu au sirop de gingembre
80 Crème de lait au gingembre
81 Soupe d'orange à l'anis étoilé
82 Soupe de tapioca à la mangue

84 L'Asie du Sud-Est

89 Thé glacé thaïlandais
90 Teh telur de Sumatra {thé à l'œuf}
91 Galettes de poisson Tod man pla
92 Poulet mariné au chili
97 Boulettes de bœuf
en curry panaeng
98 Mousse de poisson à la vapeur
100 Satay d'agneau à l'ananas
101 Flan au maïs et au lait de coco
102 Bananes en chemise
à la crème de coco
105 Petits gâteaux au durian
106 Gâteaux malais au caramel

108 L'Inde

113 Chai et kahwa
114 Croquettes de pomme de
terre aux épices
116 Curry de boulettes « narcisse »
117 Crevettes en croûte d'épices
118 Poisson à la mode parsie
120 Poulet au safran
121 Pain perdu moghol
123 Sablés à la cardamome
124 Halva de carottes

126 **Les pays du samovar**

128 **LA RUSSIE**
130 Toasts au hareng
132 *Rasstegaï* au saumon
133 Aubergines farcies aux noix
135 *Pelmeni*
138 *Blintzes* au fromage

141 **IRAN, AFGHANISTAN, TURQUIE**
144 Thé à la crème
144 Thé turc
145 Maquereau farci
146 Croquettes de tomate
à la menthe
148 Feuilles de chou farcies,
sauce à l'œuf et au citron
150 *Manti* à l'agneau
152 Boulettes de bœuf aux griottes
153 *Baklavadakia*
154 Les sept fruits du Nouvel An
158 Biscuits iraniens à la farine de riz

160 **Le Maroc**

164 Thé à la menthe marocain
166 Salade d'oranges aux olives
170 *M'hancha* au fromage et
aux légumes
171 Pastels au diable,
mayonnaise à l'huile rouge
172 Roulades de sole farcies
aux dattes
173 *Aloko*, sauce aux crevettes
175 Minute de thon à la *chermoula*

176 *Briouats* aux amandes
179 *Beghrir* à l'huile d'argan
180 Cornes de gazelle

182 **Les Îles britanniques**

188 Flan de poisson
191 Rillettes de crevettes
192 Gratin de bigorneaux
194 Petits pâtés de Pézenas
199 *Barmbrack*
200 Tartelettes aux pommes
et au gingembre
201 *Sticky toffee pudding*
202 Puddings au chocolat

204 **Les États-Unis**

207 Thé glacé
208 La médiatrice
(sandwiches aux huîtres panées)
211 Coquilles Saint-Jacques grillées
212 Foies de volaille de la 6ᵉ Avenue
213 Pain à la cacahuète
214 *Corned beef hash* et œuf poché
218 Tourte à la patate douce
220 Flan cubain au fromage blanc

222 **Les menus**
224 **Shopping / Remerciements**

INTRODUCTION

Je vous invite à prendre place à une table de thé où sont rassemblés quelques-uns des meilleurs crus du monde. Et j'ai choisi, pour les accompagner, des recettes de leur pays d'origine. À partir de ces éléments, vous pourrez vous-même composer vos repas autour du thé. Voilà résumé le principe de ce livre.

À travers les arts du thé, je propose de vous initier à la cuisine du thé : non à la cuisine au thé — qui est un autre sujet — mais à celle qui accompagne le thé. L'inspiration m'est d'abord venue d'Asie. *Yum cha, dim sum, dian xin* en Chine, *kaiseki* au Japon sont des styles culinaires conçus pour la table du thé : tout un répertoire de petits plats, d'en-cas, de mets cuits à la vapeur, de pâtisseries. Et partout où existe une culture du thé, la nourriture en est inséparable, qu'il s'agisse de simples collations ou de repas à part entière. Alors pourquoi ne pas prendre le thé comme fil conducteur d'une gastronomie différente ?

Une autre façon de recevoir

•

Cette gastronomie du thé permet de se réunir autour de plusieurs plats légers et de quelques tasses de thé, et cela à n'importe quelle heure. Petit déjeuner, brunch, déjeuner, goûter, *high tea*, dîner ou souper : l'organisation reste simple et informelle. Pas besoin de mettre les petits plats dans les grands ; quatre ou cinq recettes {dont certaines peuvent être préparées à l'avance} ; un service à thé, une ou plusieurs théières — l'ambiance est détendue, le temps s'allonge, comme autour du samovar russe ou iranien, comme dans une maison de thé de Canton.

Partout où existe le thé, il est synonyme de confort, de communion, de détente. Il stimule l'esprit, calme les nerfs, alimente la conversation et aide à la concentration : il éveille et apaise à la fois.

Le thé aiguise les sensations gustatives : il met en valeur la finesse d'un plat. Il permet de découvrir une fantastique diversité aromatique : la pureté légère des thés blancs ; les notes d'algue, d'herbe et de céréales des thés verts ; les senteurs florales et fruitées, ou épicées et boisées, des thés oolongs ; les saveurs capiteuses des thés rouges, où l'on retrouve les agrumes, la rose, le muscat et la fumée de pin ; enfin l'humus des thés noirs et des pu-erhs, entre animal, minéral et végétal. C'est ensuite un jeu d'accorder cette palette variée avec votre cuisine. Un repas autour du thé est une fête des sens.

Le thé est une boisson de santé : il facilite et accélère la digestion. C'est la garantie d'un repas sain, qui laissera vos convives légers. Il leur donnera certainement envie de renouveler l'expérience chez vous ou de la reproduire chez eux.

Le thé inspire, il ouvre et amplifie les sensations ; il fait rêver, fait voyager par l'imagination. Que vous serviez un simple Earl Grey, plusieurs thés d'origine ou tout un crescendo de thés chinois, la magie sera au rendez-vous.

Accords et goûts
•

La dégustation du thé ressemble à la dégustation de vins par l'évaluation des arômes, de la longueur en bouche, des terroirs, des crus, des millésimes, du traitement des feuilles. Toutefois, une dégustation de thés se révèle plus complexe et plus longue, le vin étant plus linéaire.

En effet, un bon thé se démultiplie, évolue dans plusieurs dimensions. De la première à la dernière infusion d'un grand cru de Chine, celui-ci peut se modifier radicalement. La courbe irrégulière, l'ouverture progressive sont spécifiques du thé. Les arômes se diffusent plus largement dans nos perceptions que ceux du vin. Ils se déploient dans le nez, la gorge, se prolongent dans la tête, la poitrine. Le goût devient vibration et s'étend au reste du corps. L'expérience spirituelle ou tout au moins philosophique n'est pas loin : le thé a toujours été le compagnon des sages et des lettrés.

Comment associer ce potentiel avec la nourriture ? La palette gustative du thé est immense. Selon les maîtres de thé coréens, il réunit toutes les saveurs : salé, sucré, amer, acidulé, astringent. On peut ajouter onctuosité crémeuse, fraîcheur herbacée, densité réconfortante ou fluidité désaltérante. Sans oublier les arômes et les parfums : fleurs, fruits, épices, algues…

Le thé, parce qu'il aiguise le goût et l'odorat, est l'allié naturel de toute gastronomie. Les chefs occidentaux ne se sont pas encore beaucoup penchés sur les accords thés-mets. Tout reste encore à découvrir. En attendant, je propose de commencer par des accords simples : avec chaque plat, ou chaque famille de plats, je propose un ou plusieurs thés, et parfois un « accord parfait ». Ces conseils sont rarement pointus : plutôt qu'un cru de thé, je préfère suggérer une catégorie afin de vous faciliter l'achat.

Quelques règles simples pour accorder les thés et les plats
{voir la terminologie, page 9/10 et 54/57} :

• **LES THÉS BLANCS** sont à l'aise avec les plats doux et discrets, crémeux, lactés, citronnés, les volailles blanches et les poissons d'eau douce ; les desserts à base d'amande ou de noix de coco, les flans, le tofu.

• **LES THÉS VERTS** sont adaptables. Ils s'accordent avec les plats sucrés ou salés sans excès d'aromates : légumes, poissons de mer et coquillages, riz, ravioli vapeur. Ils sont en affinité avec le monde végétal et marin. On affine l'accord à partir de leur goût spécifique : algues, pain grillé, gazon coupé, céréale verte ou nuance citronnée. **LES THÉS JAUNES,** pour les accords, entrent dans la catégorie des thés verts. Quant au thé vert à la menthe d'Afrique du Nord, il s'accorde surtout avec les pâtisseries.

• **LES OOLONGS** « verts », peu fermentés, sont fragiles, leur arôme floral ou fruité peut être détruit par un accord trop corsé. Le porc frais, les raviolis vapeur leur conviennent très bien, ainsi que les fruits de mer doux tels que coquilles Saint-Jacques, langoustines et crevettes. Plus fermentés, ils supportent des accords musclés : épices, caramel, sauce de soja, condiments.

• **LES THÉS ROUGES** les plus répandus en Occident, sont les plus faciles à associer. Toutes les spécialités britanniques et américaines, russes, indiennes, turques, etc., sont pour eux. Ils aiment les viandes, les plats mijotés, les curries, les cuisines méditerranéennes et proche-orientales, les confitures, les pâtisseries sucrées. Les thés fumés comme le lapsang souchong ont une affinité particulière avec les produits de la mer corsés (huîtres, coquillages).

• **LES THÉS NOIRS ET LES PU-ERHS** vont avec tous les plats qui ont du corps. De même que certains thés verts appellent le sucré, le pu-erh appelle le salé. Les recettes marinées, les gibiers, le canard, les ingrédients fermentés et fumés {miso, poissons fumés, charcuteries salées et séchées}, les abats, les épices et le piment leur siéent à merveille.

Conseils de service
•

Très peu d'entre nous ont la chance d'avoir chez eux un samovar, qui permet de boire tasse sur tasse sans avoir à retourner à la cuisine pour remettre de l'eau sur le feu. Si vous recevez autour du thé, je vous conseille d'avoir à portée de main une bouilloire électrique et une provision d'eau de source ou d'eau filtrée. Vous devrez aller chercher les plats à la cuisine, mais au moins vous n'aurez pas à vous déplacer pour refaire du thé. Vous pouvez aussi improviser un samovar avec une bouilloire turque {voir page 143 et 144} et une plaque électrique portative.

La fête peut commencer, tout est là : théière{s}, bouilloire, assiettes, couverts, tasses, serviettes. N'oubliez pas non plus, pour le thé à la russe ou à l'occidentale, sucre, tranches de citron, lait ou crème. Certains aiment un peu de miel ou de confiture.

TECHNIQUES DU THÉ

Terminologie
•

Plutôt que la classification à l'occidentale, un peu confuse, j'adopte le système chinois, qui classe les thés par couleurs en fonction de l'aspect de l'infusion et/ou des feuilles infusées. Du plus au moins corsé, on distingue donc les **thés blancs** {à peine torréfiés, non fermentés} ; les **thés jaunes** et les **thés verts** {torréfiés, non fermentés} ; les **thés bleu-vert** ou oolongs {semi-fermentés} ; les **thés rouges** que nous appelons, en Occident, « thés noirs » {fermentés et oxydés} et les **thés noirs** véritables {doublement fermentés} auxquels sont apparentés les **thés pu-erhs** — une classe en soi —, qui peuvent être de type « vert » ou « cuit » selon le type de fermentation qu'ils subissent.

Le principal détail à retenir est que, chaque fois qu'il est question de « thé rouge » dans ce livre, il s'agit de ce qu'on appelle chez nous « thé noir ».

POURQUOI LE THÉ ?

Depuis deux ans, le thé est la première boisson mondiale, l'eau pure se retrouvant en deuxième position. Son marché ne décroît pas ; sur certains continents comme l'Europe et l'Amérique, il connaît une véritable explosion. Les raisons en sont nombreuses : hygiéniques {là où l'eau potable se fait rare, le thé est un moyen de boire l'eau bouillie}, gastronomiques {le public occidental est de plus en plus sensible aux différents goûts du thé}, commerciales {ouverture de la Chine et mise en valeur croissante de ses produits ; développement de plantations ailleurs dans le monde}, culturelles {pouvoir d'attraction des modes de vie asiatiques}, diététiques {désir de boissons sans alcool ni sucre} et aussi sanitaires {par ses vertus antioxydantes, ses catéchines et ses tanins, le thé exerce des actions bénéfiques entre autres sur le métabolisme, la digestion, le système nerveux}. Cette dernière qualité le rend très désirable aux yeux du public américain, soucieux de diététique et de santé. Enfin, le thé remplace avantageusement, dans la vie quotidienne, les alcools et les boissons industrielles sucrées, sans parler du café dont le pouvoir excitant est largement supérieur. On comprend donc aisément que la boisson la plus ancienne du monde s'impose comme la boisson de l'avenir.

Conseils de préparation

•

L'USTENSILE

DES CONSEILS DE PRÉPARATION SPÉCIFIQUES SONT DONNÉS À CHAQUE CHAPITRE. JE ME CONTENTERAI DE RÉSUMER ICI LES PRINCIPALES MÉTHODES D'INFUSION EN THÉIÈRE OU EN INFUSEUR.

La **théière classique** {en terre ou en métal} exige que vous respectiez bien le temps d'infusion et que vous vidiez la théière en une seule fois. Versez-y un peu d'eau bouillante, videz-la, introduisez-y les feuilles de thé, puis une petite quantité d'eau que vous videz immédiatement ; puis remplissez la théière d'eau chaude. Avec les thés rouges, une seconde infusion est souvent possible, mais la troisième est rarement à la hauteur. Les thés verts, blancs et oolongs sont un peu plus tolérants.

Une variante de la théière classique est la **théière à pression** équipée d'un filtre central contenant un piston. Il suffit de presser le piston pour interrompre l'infusion. Cette théière convient aux thés rouges servis à l'occidentale.

L'infuseur en verre transparent, constitué d'une théière, d'un filtre central en verre ou en métal et d'un couvercle creux, est idéal pour les thés de Chine à plusieurs infusions. Je recommande le filtre en verre : il permet de voir les feuilles se déployer au cours de l'infusion et de vérifier leur état. La théière n'a pas besoin d'être ébouillantée. Déposez les feuilles de thé dans le filtre et placez celui-ci dans la théière. Versez un peu d'eau chaude ou bouillante sur les feuilles, puis jetez immédiatement cette eau. Versez de l'eau jusqu'en haut du filtre et laissez infuser le temps nécessaire, puis soulevez doucement le filtre en laissant l'eau s'écouler dans la théière, et posez-le sur le couvercle retourné en attendant la prochaine infusion. Les infusions suivantes sont plus brèves car les feuilles sont hydratées. Il suffit souvent de quelques secondes, et vous pouvez retirer le filtre.

L'EAU

Dans tous les pays dotés d'une culture du thé, on prend l'eau très au sérieux. *A contrario* {et dans le pire des cas}, quand l'eau potable est hors de portée, le thé à base d'eau bouillie permet de se désaltérer sans danger. Mais le véritable art du thé passe par les efforts requis pour accéder à une eau de qualité. En Chine, il n'est pas rare que les maîtres d'une maison de thé parcourent de longues distances pour faire provision d'eau de source dans les montagnes.

Si vous ne vivez pas dans les montagnes, je vous conseille simplement une eau de source peu minéralisée, de type Volvic ou Mont-Roucous, ou toute eau en bouteille neutre en goût, la plus faible en calcaire possible. À fuir aussi : les nitrates, les bicarbonates, le magnésium. L'eau filtrée {filtres Brita} convient très bien.

TEMPÉRATURE DE L'EAU

EN CHINE, ON DÉCRIT AINSI L'ASPECT DE L'EAU SUR LE FEU POUR DÉTERMINER SA TEMPÉRATURE :

- *Yeux de crevette* {70-80 °C} : de petites bulles apparaissent sur le fond du récipient.
- *Yeux de crabe* {80-90 °C} : les bulles remontent vers la surface.

• *Yeux de dragon* {100 °C} : l'ébullition est atteinte.

Pour infuser un thé vert coréen ou un thé blanc délicat, la température idéale de 65 °C est atteinte lorsque l'eau commence à chuchoter et à frémir dans la bouilloire, juste avant l'apparition des bulles en « yeux de crevette ».

Une fois l'ébullition atteinte, laissez reposer l'eau quelques secondes avant de la verser. Et si vous avez trop fait chauffer l'eau, laissez-la reposer plus longtemps afin de la ramener à la température adéquate.

• TABLEAU D'INFUSION DES THÉS •

TYPE DE THÉ	TEMPÉRATURE	TEMPS D'INFUSION
Thé blanc	65-75 °C	7-13 minutes
Thé jaune, thé vert	70-85 °C	3-5 minutes
Thé oolong	90-100 °C	2-3 minutes
Thé rouge	100 °C	2-3 minutes
Thé noir/pu-erh	100 °C	2-3 minutes

Précision : il s'agit ici d'infusion en théière « classique » ; le *gongfu cha* demande des temps beaucoup plus courts. Ces indications ne sont pas restrictives ; le temps d'infusion peut être raccourci, surtout quand vous utilisez une grande quantité de feuilles de thé. Dans ce cas, qui se rapproche de la méthode *gongfu*, vous pouvez faire un plus grand nombre d'infusions.

La règle est la suivante : plus le thé est fermenté ou oxydé, plus l'eau doit être chaude. Les darjeelings de début de saison, thés rouges relativement peu oxydés, demandent des températures assez basses : 80 °C, infusion 5 minutes. L'essentiel est d'apprendre à connaître vos thés afin de ne pas prolonger le temps d'infusion et de ne pas utiliser une eau trop chaude. Il est d'ailleurs bon de demander conseil à la personne qui vous les vend. Excès de chaleur et d'infusion font « cuire » le thé, développent son amertume et son âcreté, et le rendent indigeste. Un thé « cuit » ne se rattrape plus, il est bon à être jeté. Seul, le pu-erh ne cuit jamais. Cela ne dispense pas d'appliquer la bonne chaleur : une eau à température trop basse ne réussira pas à extraire les arômes d'un bon thé oolong, rouge ou pu-erh. Ces précautions font toute la difficulté de l'art de l'infusion. Ne vous sentez pas intimidé, fiez-vous à votre goût. Un peu d'habitude et la maîtrise viendra très vite !

N'oubliez pas le rinçage

Quoi que vous fassiez, et quel que soit le type de thé, n'oubliez jamais de le **rincer avant l'infusion**. Cette précaution, habituelle en Chine, mérite d'être adoptée pour tous les thés. Elle élimine les poussières et les impuretés du stockage et hydrate les feuilles, ce qui les prépare mieux à l'infusion. Vous pouvez, après ce rinçage, humer les feuilles hydratées. L'odeur vous renseignera sur la qualité de votre thé.

RECETTES DE BASE

●

DASHI
Fond de bouillon japonais

CE BOUILLON EST UTILISÉ DANS DES SOUPES, DES SAUCES ET DES FONDS DE CUISSON. DANS LES MAGASINS DE PRODUITS JAPONAIS, VOUS LE TROUVEREZ SOUS FORME DE GRANULES LYOPHILISÉES {*DASHI NO MOTO*}. C'EST UN BON PRODUIT D'APPOINT, MAIS DÉLICAT À DOSER, CAR IL EST TRÈS CONCENTRÉ. SI VOUS FAITES VOTRE *DASHI* VOUS-MÊME, UTILISEZ-LE JOUR DE SA PRÉPARATION. JE VOUS DONNE ICI LA RECETTE D'UN *DASHI* DE BASE.

● ● ●

POUR 1 LITRE / DIFFICULTÉ * / PRÉPARATION : 5 MINUTES
REPOS : 3-4 HEURES / CUISSON : 3 MINUTES
USTENSILES SPÉCIAUX : UNE PASSOIRE FINE, UN LINGE

• Un peu plus de 1 litre d'eau
• 20 g de *katsuobushi* {copeaux de bonite séchée}, c'est-à-dire le contenu d'un verre de 20 cl
• 1 morceau d'algue *kombu* séchée {laminaire} de 15 à 20 cm de longueur

Essuyez légèrement le *kombu* avec un papier absorbant humide sans retirer la poudre blanche qui le recouvre. Versez l'eau dans une casserole, ajoutez le *kombu* et laissez reposer trois ou quatre heures {selon le temps dont vous disposez} mais pas plus de cinq heures.
Portez l'eau à frémissement et laissez frémir 3 minutes environ, sans bouillir. Retirez le *kombu*. Hors du feu, ajoutez 2 cuillerées à soupe d'eau froide et le *katsuobushi*, couvrez et laissez infuser 15 minutes.
Filtrez à travers une passoire fine garnie d'un linge. Réunissez ensuite les coins du linge et pressez doucement pour extraire le liquide du *katsuobushi*. Ne serrez pas trop. Votre *dashi* est prêt.

●

PÂTE À *GYÔZA*

LES FEUILLES DE PÂTE POUR *GYÔZA*, DE FORME RONDE, SE TROUVENT CONGELÉES DANS LES MAGASINS ASIATIQUES. SI VOUS VOULEZ LES FAIRE VOUS-MÊME, VOICI UNE RECETTE QUI PEUT VOUS ÊTRE UTILE POUR PRÉPARER TOUTES SORTES DE RAVIOLIS.

● ● ●

POUR 250 G DE PÂTE / DIFFICULTÉ ** / RÉPARATION : 20 MINUTES / USTENSILES SPÉCIAUX : ROULEAU À PÂTISSERIE CHINOIS ; VOUS POUVEZ EN FABRIQUER UN À PARTIR D'UNE TIGE DE BOIS BLANC DE SECTION RONDE DE 3 CM DE DIAMÈTRE ET D'AU MOINS 30 CM DE LONGUEUR

• 150 g de farine de type 55
• 17 cl d'eau bouillante

Versez l'eau bouillante sur la farine et mélangez avec une spatule jusqu'à ce que l'eau soit complètement incorporée. Pétrissez ensuite avec vos mains jusqu'à obtention d'une pâte élastique, un peu ferme. Roulez cette pâte en un boudin de 2,5 cm de diamètre. Coupez-le en tronçons de la longueur de la première phalange du pouce. À l'aide d'un rouleau à pâtisserie chinois, étalez chaque tronçon en forme de disque, le plus finement possible {il doit être translucide}. Déposez un peu de farce au centre du disque et façonnez le ravioli. Procédez de même avec le reste des ingrédients.
Si vous préparez la pâte à l'avance, empilez les feuilles en intercalant des morceaux de papier sulfurisé, rangez la pile dans un sac pour congélation et congelez le tout.

PÂTE BRISÉE
POUR LES TARTES ET LES TOURTES

J'UTILISE INDIFFÉREMMENT CETTE PÂTE POUR LES
TARTES SUCRÉES OU SALÉES. VOUS POUVEZ MÉLAN-
GER LES INGRÉDIENTS DANS LE BOL D'UN ROBOT OU
À LA MAIN, AVEC DEUX COUTEAUX OU UN MÉLAN-
GEUR À PÂTE. DANS LES DEUX CAS, LE SECRET
CONSISTE À TOUCHER CETTE PÂTE AUSSI PEU QUE
POSSIBLE.

• • •

POUR 500 G DE PÂTE / DIFFICULTÉ **
PRÉPARATION : DE 10 À 20 MINUTES
REPOS : 1 HEURE AU MOINS
USTENSILES SPÉCIAUX : DEUX COUTEAUX
À LAME LISSE OU UN MÉLANGEUR À PÂTE
À LAMES MÉTALLIQUES, OU UN ROBOT

- 350 g de farine
- 150 g de beurre {ou 100 g de beurre
  et 50 g de saindoux}
- 1 grosse pincée de sel
- 2 ou 3 cuillerées à soupe d'eau glacée

MÉTHODE MANUELLE

TOUS LES INGRÉDIENTS DOIVENT ÊTRE
À TEMPÉRATURE AMBIANTE ET LE BEURRE
NI TROP MOU NI TROP FROID.

Dans un saladier un peu étroit, amalgamez les
ingrédients en les cisaillant avec les lames de
deux couteaux, entrecroisant celles-ci comme les
lames d'une paire de ciseaux, jusqu'à obtention
d'un mélange sableux, fin et régulier. Si vous utilisez un mélangeur à pâte, soulevez les ingrédients avec les lames pour les amalgamer. Soulevez et remuez le mélange de temps en temps
pour l'homogénéiser. Lorsque tout grumeau a
disparu, ajoutez prudemment un peu d'eau glacée et continuez de cisailler jusqu'à ce que la pâte
prenne corps. Ajoutez quelques gouttes d'eau glacée si nécessaire, mais pas trop. Tout en mani-
pulant la pâte le moins possible, ramassez-la en
boule et jetez-la plusieurs fois dans le saladier
pour la compacter sans excès. Enveloppez-la de
film étirable et faites-la reposer au moins 1 heure
au réfrigérateur.

MÉTHODE AU ROBOT

LE BEURRE DOIT ÊTRE LE PLUS FROID POSSIBLE.
RÉSERVEZ-LE, DÉJÀ DÉTAILLÉ EN PETITS CUBES,
AU CONGÉLATEUR QUELQUES MINUTES AVANT DE
VOUS EN SERVIR.

Versez la farine dans le bol d'un robot muni d'une
lame. Ajoutez le beurre et le sel. Donnez trois brefs
coups de moteur pour mélanger les ingrédients
de façon homogène.
Tout en mixant par petits coups à la fois, ajoutez
peu à peu l'eau glacée. Lorsque le mélange s'ag-
glomère et forme une boule, renversez-le dans un
saladier. (Ajoutez quelques gouttes d'eau si la
boule ne se forme pas.) Enveloppez la pâte de film
alimentaire et faites-la reposer au moins 1 heure
au réfrigérateur.
Cette pâte sera meilleure si vous l'abaissez sur
un plan de travail très froid.

Le Japon

Associer Japon et thé évoque immédiatement toute une imagerie de pavillon de bois au cœur d'un jardin, de poudre verte fouettée dans un bol aux contours irréguliers tandis que les convives restent cois et que le vent, au-dehors, siffle dans les pins. Il y a suffisamment de littérature sur la haute culture du thé japonaise {*chadô*, la Voie du thé} et sur la cérémonie *chanoyu*, « l'eau du thé », pour que nous passions directement aux aspects pratiques et culinaires.

Le *kaiseki ryori*, succession de petits plats poétiques sur le thème des saisons servie au cours de la cérémonie du thé, exerce depuis une trentaine d'années une influence puissante sur la gastronomie mondiale. C'est de là, en effet, que viennent l'usage du menu-dégustation et la présentation des plats « zen » adoptée par la Nouvelle Cuisine.

Outre le thé d'exception, il y a le thé quotidien : le *sencha* que l'on pose sur la table dès l'entrée au restaurant ; la mousse verte du *macha* fouetté qui rafraîchit en été et réchauffe en hiver ; le *hôjicha* torréfié que l'on distribue dans les files d'attente des bars à sushi ; le *bancha* que l'on verse sur son riz au petit déjeuner ; le *shincha*, thé nouveau de printemps qui accompagne les gâteaux à la fleur de cerisier…

La préférence japonaise a toujours penché vers le thé vert non oxydé, non fermenté, dont la couleur a été préservée par un bain de vapeur. Vif, délicat, végétal, reflétant profondément la sensibilité nippone, son goût évoque tantôt la terre et l'herbe coupée, tantôt la mer et les algues. La couleur des meilleurs thés japonais est un vert de prairie presque fluorescent. Même si aujourd'hui les thés oolongs vendus en bouteille ont la faveur des Nippons, *nihon cha,* le thé traditionnel, reste la boisson nationale.

Pour préparer un thé japonais, ébouillanter la théière et procéder comme indiqué ci-après pour chaque thé. Servir la totalité de la théière en un seul service, jusqu'à la dernière goutte, car le thé ne doit jamais « cuire ». On peut refaire une ou deux infusions, mais les thés japonais ne sont pas aussi extensibles que les thés chinois.

Quel thé ?

Les recettes de ce chapitre s'accordent toutes avec le thé de base, le *sencha*. Les plats sucrés sont en meilleure affinité avec un *macha* fouetté ou un *gyôkuro*. Des précisions sont données avec chaque recette, mais l'harmonie globale des thés et de la cuisine japonaise fait que je n'ai pas indiqué d'accord parfait.

●●●

Les thés japonais

● Gyôkuro

Thé de qualité supérieure, constitué de fins bourgeons terminaux couleur émeraude, cultivé à l'ombre. L'infusion, d'un vert franc, est riche en arômes marins rappelant les algues. C'est le thé de luxe, qui se savoure en compagnie de la cuisine la plus fine et des *wagashi* {pâtisseries d'art}. Il est en affinité avec les plats sucrés. Le *kabusecha* est un *sencha* cultivé à la mi-ombre. Il se prépare de la même façon.

Comment le préparer : ébouillanter la théière et la vider dans les tasses pour les chauffer. Vider les tasses. Doser généreusement : 3 g de thé {1 cuillerée à café} par personne. Eau de source à 55-60 °C, infuser 2-3 minutes. Nouvelle infusion : 30 secondes. Le *gyôkuro* se sert dans de petites tasses ou coupes et se boit lentement.

● Sencha

Développé au XVIIIᵉ siècle, c'est le thé de tous les moments, représentant plus de trois quarts de la production nationale. Non fermenté, légèrement

passé à la vapeur puis séché et torréfié, il se présente en aiguilles {thé de Shizuoka ou de Fukuoka} ou en virgules {thé de Kyûshû}. On le trouve aussi en poudre, moins cher que le *macha*. Sous cette forme, il peut être un ingrédient de pâtisserie. Le meilleur *sencha* est celui de première récolte ; récolté en été et en automne, il est moins fin.

Comment le préparer : ébouillanter la théière, la vider dans les tasses, vider les tasses. Eau de source à 65-70 °C, que l'on laisse reposer 10 secondes. Compter 2 g de thé {1 cuillerée à café rase} par personne. Infuser 1 minute. Nouvelle infusion : 10 secondes.

● Mecha

Intermédiaire en qualité entre le *gyôkuro* et le *sencha*, le *mecha* est constitué de bourgeons terminaux. Son goût est fin et aromatique, un peu amer et astringent.

Comment le préparer : comme le *sencha*, mais utiliser un peu plus d'eau.

● Bancha

Sencha de qualité courante, récolté en fin de saison {été-automne}. Il se présente en grosses aiguilles d'un vert soutenu. Son arôme est plus corsé, moins complexe.

Comment le préparer : comme le *sencha*, mais eau à 80 °C, infuser 2 minutes.

● Hôjicha

Thé *bancha* torréfié à 180 °C sur un feu de charbon. Les arômes végétaux et marins disparaissent au pro-

fit d'un goût rappelant la châtaigne et le pain grillé avec une touche de caramel. À boire tout au long de la journée, conseillé le soir en raison de sa pauvreté en caféine. Le *hôjicha* glacé est délicieux en été.

Comment le préparer : ébouillanter une théière assez grande pour que le thé libère ses arômes, la vider dans les tasses, puis vider les tasses. 3 g {1 cuillerée à café} de thé par personne. Si le thé est de texture plus grossière {mélange de *bancha* et de *kukicha*}, augmenter la dose à 1 cuillerée à soupe. Eau de source à 80 °C, infuser 2-3 minutes. Nouvelle infusion possible.

● Genmaicha

Mélange de *bancha* et de grains de riz grillé. C'était à l'origine le thé des pauvres, le riz étant employé pour faire du volume. Son goût délicieux, associant les tons herbacés du thé et l'arôme de noisette du riz, l'a vite fait apprécier de tout le monde. En été, le *genmaicha* glacé est très désaltérant.

Comment le préparer : 3 g de thé {1 cuillerée à café} par personne, eau de source à 80 °C, infuser 2 minutes. Pas de nouvelle infusion.

● Tamaryokucha

Thé de l'île de Kyûshû aux feuilles vert sombre. Il n'est pas torréfié mais traité à la vapeur. L'infusion est vive et fruitée, avec des touches d'amande amère et d'écorce d'agrumes. Il peut être infusé plusieurs fois.

Comment le préparer : ébouillanter la théière, la vider dans les tasses, puis vider les tasses. 3 g de thé {1 cuillerée à café} par personne, eau de source à 70 °C, infuser 2 minutes.

Kukicha

Thé constitué de brindilles et de fins rameaux. Son goût est agréable, rond et crémeux. Il est particulièrement pauvre en caféine et riche en propriétés antioxydantes.

Comment le préparer : comme le *sencha*, dans une plus grande quantité d'eau, un peu plus chaude et, après, une infusion un peu plus longue.

Shincha

« Thé nouveau », toute première récolte de *sencha*, vendue en avril-mai. De saveur très vive, robuste et légèrement acidulée, il est très riche en vitamine C et recommandé pour le matin. Il faut le consommer dans le mois suivant son achat.

Comment le préparer : ébouillanter une petite théière de terre cuite. Vider l'eau dans les tasses, puis vider les tasses. Eau de source à 90 °C, que l'on fait reposer 30 secondes. Compter 2 g de thé {1 cuillerée à café rase} par personne, infuser 3 minutes. Seconde infusion : 30 secondes.

Macha

Thé de type *gyôkuro* réduit en poudre fine. C'est la forme la plus ancienne de thé japonais, le thé de la cérémonie *chanoyu*. Il est aussi utilisé en pâtisserie et dans l'industrie alimentaire. Son prix est élevé. Un *macha* fouetté se sert généralement avec un gâteau.

Comment le préparer : outre ses usages en cuisine et en pâtisserie, il se boit chaud ou glacé, fouetté avec un peu d'eau dans le fond d'un bol, puis allongé d'eau {recette page ci-contre}.

AU JAPON ET EN CORÉE, ON VOUS PROPOSERA SOUVENT DES THÉS DE RIZ, DE SARRASIN OU D'ORGE. LES GRAINS LÉGÈREMENT TORRÉFIÉS JOUISSENT D'UNE EXCELLENTE RÉPUTATION POUR LA SANTÉ. LE THÉ D'ORGE {MUGI-CHA AU JAPON, *PORICHA* EN CORÉE} SE SERT PUR, MAIS UN PEU DE JUS DE CITRON ET DE MIEL RENFORCERA SES QUALITÉS ADOUCISSANTES POUR CEUX QUI SOUFFRENT DE LA GORGE. QUELQUES GRAINS DE SEL DE MER GRIS EN FERONT UN GARGARISME BIENFAISANT. CALMANT, ANTI-INFLAMMATOIRE, C'EST UN BON REMÈDE D'APPOINT CONTRE LES REFROIDISSEMENTS. L'AVANTAGE DU THÉ DE RIZ EST QU'IL PREND LE GOÛT DE SON INGRÉDIENT DE BASE ; RAISON DE PLUS POUR CHOISIR DU RIZ COMPLET DE TRÈS BONNE QUALITÉ.

Préparation du *macha*

CETTE PRÉPARATION CONVIENT ÉGALEMENT AU *SENCHA* EN POUDRE.

Pour 1 bol
2 g de *macha*
10 cl d'eau de source bouillante ou glacée
Glaçons {si vous préparez un *macha* glacé}

Ustensiles spéciaux : un bol à fond large et plat, un fouet de bambou ciselé {*chasen*}

Macha **chaud**

Versez un peu d'eau bouillante dans le bol, fouettez. Videz et essuyez le bol.

Dans le bol, versez le *macha* et l'eau bouillante ayant reposé quelques instants. Fouettez en décrivant des Z de façon à créer des bulles minuscules et à faire mousser le thé en éliminant tout grumeau. Crevez les grosses bulles et servez.

Macha **glacé**

Travaillez dans un bol bien froid, avec de l'eau glacée, et ajoutez des glaçons au moment de servir.

Chaud ou froid, le *macha* fouetté doit être bu rapidement, avant que la poudre soulevée par le fouettage ne retombe au fond du bol.

Thé de céréales

Pour 1 litre
Préparation : 20 minutes
Repos : 1 heure
Cuisson : 25 minutes
1 verre {120 g} d'orge mondé, de sarrasin ou de riz complet

Rincez les céréales sous l'eau froide courante dans une passoire. Laissez égoutter 1 heure, puis séchez légèrement les grains avec du papier absorbant.

Faites chauffer une poêle en fonte sans matière grasse. Versez-y les céréales et faites-les griller sur feu moyen en remuant avec une cuillère en bois jusqu'à ce qu'elles prennent une couleur uniforme. Ne les laissez pas noircir : vous préparez du thé, pas du café.

Quand les grains ont pris une belle couleur dorée, versez-les dans une casserole et couvrez d'un litre d'eau de source. Portez à ébullition, couvrez et faites cuire 20 minutes sur feu doux. Retirez du feu et laissez infuser 5 minutes. Vous pouvez servir ce thé filtré ou non filtré, en laissant entrer quelques grains dans la tasse afin que vos convives aient à la fois à boire et à manger.

Concombre farci au crabe et au gingembre rouge
Kani kyuri ikomi

1 concombre de 5 cm de diamètre {250 g environ}
1 petite poignée de cresson nettoyé
60 g de chair de crabe égouttée, triée et émiettée
2 cuillerées à soupe de *beni shoga*
{gingembre rouge mariné} en tranches ou en julienne
Sel

LA SAUCE SAMBAI-ZU
2 cuillerées à soupe de vinaigre de riz
2 cuillerées à soupe de *dashi* {voir page 12}
3 cuillerées à café de sucre
2 cuillerées à café de sauce de soja japonaise
Sel

THÉS
Sencha, gyôkuro,
mecha, bancha, shincha

Difficulté **
Pour 4 personnes
Préparation : 20 minutes
Repos : 25 minutes

USTENSILES SPÉCIAUX
couteau économe,
vide-pomme

Préparez d'abord la sauce : mélangez les ingrédients et portez à ébullition en remuant. Retirez du feu, versez dans un bol et laissez refroidir.

Pelez le concombre avec un économe en laissant 1 bande de peau sur 2. Frottez-le de 2 cuillerées à café de sel fin. Posez-le sur un plat et laissez reposer 15 minutes, puis rincez-le sous l'eau froide courante et épongez-le avec du papier absorbant. Coupez les extrémités. Servez-vous d'un vide-pomme pour retirer les graines du concombre en creusant un tunnel de 2,5 cm de diamètre environ. Si le concombre est trop long, coupez-le en 2.

• suite de la recette page suivante

Faites blanchir le cresson 10 secondes à l'eau bouillante salée, puis égouttez-le, rafraîchissez-le sous l'eau froide courante et pressez-le dans votre main. Hachez-le grossièrement au couteau.

Si le *beni shoga* est entier ou en tranches, taillez-le en julienne.

Fendez le concombre sur un côté. Entrouvrez-le et maintenez-le ouvert. Déposez dans la cavité, à l'aide de baguettes ou de vos doigts, la chair de crabe en une couche sur toute la longueur. Recouvrez du cresson en une couche, puis du gingembre rouge en une couche également. Refermez le concombre et comprimez-le doucement. Enveloppez-le d'un film étirable serré et laissez reposer 10 minutes au réfrigérateur.

Pour servir, coupez en tranches de 1 cm et arrosez-les d'un peu de sauce *sambai-zu*.

LA CHAIR DE CRABE PEUT ÊTRE SURGELÉE, EN BOÎTE {CHOISISSEZ LA MEILLEURE QUALITÉ} OU FRAÎCHE {TOURTEAU OU ARAIGNÉE}. VOUS POUVEZ UTILISER 2 PETITS CONCOMBRES LIBANAIS SI VOUS VOULEZ EFFECTUER UN TRAVAIL D'ORFÈVRE. LE *BENI SHOGA* SE TROUVE DANS LES MAGASINS JAPONAIS. SA COULEUR ROUGE VIF VOUS AIDERA À LE REPÉRER. VOUS OBTIENDREZ UN TRÈS JOLI PLAT, ALORS SORTEZ VOS PLUS BELLES TASSES.

Asperges et haricots verts au miso

250 g de haricots verts extra-fins
1 botte d'asperges vertes fines
4 cuillerées à soupe de graines de sésame blanc
2 cuillerées à soupe rases de *miso* blanc {*shiro miso*}
1 cuillerée à soupe rase de sucre
2 cuillerées à soupe de sauce de soja japonaise

Épluchez, rincez les haricots et coupez-les en tronçons de 4 cm. Faites de même avec les asperges vertes en éliminant les parties fibreuses.

Dans une poêle sèche, sur feu moyen puis doux, faites griller les graines de sésame en les remuant fréquemment. Elles ne doivent pas brûler, juste prendre un ton doré uniforme. Versez-en les deux tiers dans un mortier ou dans le bol d'un petit mixeur, gardez le tiers restant sur une assiette.

Écrasez les graines de sésame dans le mortier ou au mixeur. Ajoutez le miso, le sucre et la sauce de soja, et pilez ou mixez jusqu'à ce que les graines de sésame ne soient plus visibles.

Faites cuire les haricots et les asperges 2 minutes à l'eau bouillante bien salée. Égouttez-les, passez-les immédiatement sous l'eau froide courante, égouttez de nouveau et épongez-les avec du papier absorbant.

Mélangez-les avec la sauce. Répartissez-les dans 6 petits bols et saupoudrez des graines de sésame réservées. Servez tiède ou froid.

THÉS
Sencha, bancha

Difficulté *
Pour 6 personnes
Préparation : 20 minutes
Cuisson : 2 minutes

USTENSILES SPÉCIAUX
un mortier {de préférence
un *suribachi*, un mortier
japonais à parois striées}
ou un mini-mixeur

Nouilles de sarrasin au wasabi
Zarusoba

300 g de *soba* {nouilles de sarrasin}
1 feuille de *nori* {algue séchée}
2 ciboules
2 cuillerées à café de poudre de *wasabi*

LA SAUCE
2 cuillerées à soupe de *mirin* {saké sucré pour la cuisine}
2 cuillerées à soupe de sauce de soja japonaise
15 cl de *dashi* {voir page 12}
1 cuillerée à soupe de *katsuobushi* {copeaux de bonite séchée}
50 g de *daikon* {radis blanc japonais}
1 noisette de gingembre frais
Sel

THÉS
Hôjicha, macha glacé,
genmaicha chaud ou glacé

Difficulté *
Pour 4 personnes
Préparation : 15 minutes
Cuisson : 7 minutes

Passez la feuille de *nori* au-dessus d'une flamme d'un côté seulement, puis émiettez-la ou coupez-la en fines lanières de 2 cm de longueur environ.

Épluchez et lavez les ciboules. Coupez-les en tranches fines.

Délayez le *wasabi* avec juste assez d'eau froide pour obtenir une pâte épaisse. Laissez-la reposer quelques minutes.

Préparez la sauce : faites chauffer le *mirin* dans une petite casserole, faites-le flamber. Quand les flammes s'éteignent, ajoutez la sauce de soja, le *dashi*, le *katsuobushi* et un peu de sel. Remuez, portez à ébullition, filtrez dans un bol à travers une passoire fine.

Pelez puis râpez le *daikon* et le gingembre.

Faites cuire les *soba* à l'eau bouillante 6-7 minutes. Égouttez-les dans une passoire, rincez-les à l'eau froide puis égouttez-les de nouveau. Répartissez-les dans 4 petits bols. Garnissez de *nori*, de ciboules et d'un peu de *wasabi*. Servez avec la sauce d'accompagnement, le gingembre et le radis râpés. Chaque convive ajoute le gingembre et le radis à sa sauce, mélange les nouilles avec le *wasabi* et les ciboules, puis trempe les nouilles dans la sauce avec ses baguettes.

SERVEZ CES NOUILLES EN ÉTÉ, ET SOYEZ GÉNÉREUX AVEC LE *WASABI*. SI VOUS AIMEZ LE GOÛT DU THÉ VERT, CHOISISSEZ DES *CHASOBA* {NOUILLES AU THÉ} RECONNAISSABLES À LEUR COULEUR ÉPINARD. CETTE RECETTE EST ÉTUDIÉE POUR 4 PETITES PORTIONS, EN COMPOSITION AVEC D'AUTRES PLATS. POUR EN FAIRE DES PORTIONS NORMALES, UTILISEZ 500 G DE SOBA ET AUGMENTEZ LA QUANTITÉ DE SAUCE.

Chazuke au saumon demi-sel

1 pavé de saumon de 300 g, débarrassé de la peau et des arêtes
150 g de riz blanc japonais à grains ronds
1 cuillerée à soupe de vinaigre de riz
1 feuille de **nori** {algue séchée}
1 cuillerée à soupe de **wasabi** en poudre
2 ciboules nettoyées
1 cuillerée à soupe de thé vert **sencha** ou **bancha**
60 cl de **dashi** {voir page 12} ou d'eau de source
4 fines tranches de citron jaune ou vert
1 cuillerée à café de sel fin, poivre du moulin

Rincez rapidement le saumon, frottez-le doucement sur toute sa surface de sel fin et de poivre du moulin, puis de vinaigre de riz. Laissez reposer 1 heure au frais. Essuyez-le avec du papier absorbant humide, puis coupez-le en tranches rectangulaires de 5 mm d'épaisseur et 4 à 5 cm de longueur.

Passez la feuille de *nori* au-dessus d'une flamme pendant quelques secondes, ce qui en modifie légèrement la texture, puis découpez-la en petits rectangles. Délayez le *wasabi* avec quelques gouttes d'eau afin d'obtenir une pâte, façonnez-la en boule.

Coupez les ciboules en tranches fines.

Faites cuire le riz blanc à l'eau ou à la vapeur, déposez-en la valeur d'un petit bol dans 4 grands bols.

Disposez les tranches de poisson sur le riz. Ajoutez les morceaux de *nori*. Posez une boulette de *wasabi* sur le tout. Parsemez de ciboules.

Portez le *dashi* ou l'eau à frémissement. Préparez le thé avec le liquide chaud, laissez infuser 1 minute et versez-en 20 cl dans chaque bol. Ajoutez une fine rondelle de citron et servez immédiatement.

THÉS
Ce plat contient déjà le thé, inutile d'en servir

Difficulté *
Pour 4 personnes
Préparation : 20 minutes
Repos : 1 heure
Cuisson : très brève

Foie de lotte cuit à la vapeur
Ankimo

350 g de foie de lotte bien frais / 1 noix de gingembre / 3 ciboules / 15 cl de saké / Gros sel, sel fin ou fleur de sel • LA SAUCE : le jus de 1 citron vert / Le jus de 1/2 mandarine / *Dashi* {page 12} / Sauce de soja légère

THÉS
Sencha, gyôkuro, mecha

Difficulté **
Pour 4 personnes
Préparation : 20 minutes
Trempage : 3 heures
Cuisson : 45 minutes
Marinade : 10 minutes
Réfrigération : 6 heures

USTENSILES SPÉCIAUX
feuille d'aluminium,
cuit-vapeur

Rincez et épongez le foie de lotte. Avec un couteau pointu, débarrassez-le des veines et des membranes. Comme pour nettoyer un foie gras, enfoncez la pointe du couteau dans la chair en tirant sur la veine pour la retirer tout entière.

Couvrez le foie de lotte d'eau froide, ajoutez 1 cuillerée à soupe de gros sel et laissez tremper 3 heures en changeant l'eau et le sel toutes les demi-heures. Égouttez le foie, posez-le dans un plat et arrosez-le de saké. Faites mariner 10 minutes en retournant le foie plusieurs fois.

Nettoyez les ciboules et fendez-les en 2 dans le sens de la longueur. Épluchez le gingembre et taillez-le en fines tranches longitudinales. Frottez le foie de lotte d'une cuillerée à café de sel fin sur toute sa surface, étalez les ciboules et le gingembre sur une grande feuille d'aluminium, posez le foie dessus et roulez la feuille en serrant bien. Fermez hermétiquement. Le foie doit être enfermé dans un rouleau bien cylindrique de 5-6 cm de diamètre.

Faites cuire 45 minutes à la vapeur, puis laissez tiédir. Posez le rouleau sur une assiette garnie de papier absorbant et laissez-la reposer au moins 6 heures au réfrigérateur. Découpez en retirant l'aluminium après tranchage et en éliminant les aromates.

Préparez la sauce en pressant le citron vert et la mandarine. Mesurez ce jus et ajoutez moitié de cette quantité en *dashi*, moitié en sauce de soja. Si vous n'avez pas de mandarine, utilisez seulement du citron vert. Servez le foie de lotte en tranches avec la sauce à part ; vous pouvez garder le reste de sauce en bocal au réfrigérateur.

DANS LES BONS BARS À SUSHIS, ON VOUS SERVIRA PARFOIS CE FOIE DE LOTTE EN ENTRÉE. SON GOÛT ET SA TEXTURE RAPPELLENT LE FOIE GRAS D'OIE, AVEC UNE LÉGÈRE TOUCHE MARINE. LE LONG TREMPAGE DANS L'EAU SALÉE EST INDISPENSABLE POUR RETIRER LE SANG, QUI RISQUERAIT DE DONNER UNE SAVEUR DÉSAGRÉABLE AU PLAT. LA SAUCE *PONZU*, À BASE D'AGRUMES, PEUT AUSSI ÊTRE ACHETÉE EN FLACON DANS LES MAGASINS JAPONAIS.

Poulet frit
Tori no karaage

4 cuisses et hauts de cuisse de poulet fermier (environ 750 g en tout) / 1 grosse noix de gingembre frais / 1 grosse gousse d'ail / 2 cuillerées à soupe de sauce de soja japonaise / 2 cuillerées à soupe de saké / 1 cuillerée à soupe d'huile de sésame grillé / 50 g de fécule de pomme de terre / 1 cuillerée à soupe de Maïzena / Huile pour friture / Quartiers de citron / Sel

Désossez le poulet et retirez la peau. Coupez la chair en bouchées de 3-4 cm. Déposez-les dans un saladier.

Épluchez et râpez finement le gingembre et l'ail. Pressez le gingembre dans une petite passoire pour en extraire le jus. Ajoutez ce jus et l'ail râpé au poulet avec la sauce de soja, le saké et l'huile de sésame. Salez légèrement. Mélangez intimement, couvrez et laissez reposer au moins 2 heures au réfrigérateur {toute une nuit si vous voulez}.

Le lendemain, versez de l'huile dans une bassine à friture sans dépasser la mi-hauteur du récipient. Faites-la chauffer. Placez à portée de main une grille posée sur du papier absorbant.

Saupoudrez le poulet de la fécule et de la Maïzena, et mélangez jusqu'à ce que le poulet soit enrobé d'une pâte homogène. Quand l'huile est chaude mais non encore fumante, déposez-y le poulet par petites quantités, sans encombrer le récipient. Faites frire 2 minutes environ {le poulet doit être bien doré} et égouttez sur la grille pendant que vous faites frire le reste du poulet.

Quand tout le poulet est frit, faites de nouveau chauffer l'huile et plongez-y le poulet 1 minute pour accentuer la dorure. Égouttez soigneusement et servez avec des quartiers de citron.

THÉS
Sencha, bancha, kukicha, genmaicha

Difficulté *
Pour 4 personnes
Préparation : 25 minutes
Repos : 2 heures
Cuisson : 10 minutes en tout

USTENSILES SPÉCIAUX
bassine à friture
ou friteuse, grille

CE QUI FAIT LE GOÛT
ET LA TEXTURE UNIQUES
DE CE POULET FRIT,
C'EST LA FÉCULE UTILISÉE
POUR L'ENROBER.
UNE FOIS DE PLUS LES
JAPONAIS INTERPRÈTENT
UN VIEUX CLASSIQUE
EN LE RAFFINANT.

Châtaignes au thé vert
Shibu kawa-ni

12 châtaignes
1 cuillerée à soupe rase de feuilles
de thé *sencha*
7 cuillerées à café de sucre
2 cuillerées à café de sauce
de soja japonaise

THÉS
*Hôjicha, kukicha,
macha* fouetté

Difficulté *
Pour 4 personnes
Préparation : 10 minutes
Cuisson : 45 minutes

Retirez l'écorce des châtaignes mais laissez-leur la membrane brune. Couvrez-les d'eau froide dans une petite casserole, ajoutez le thé, portez à ébullition et faites cuire 20 minutes sur feu doux sans couvrir. Égouttez les châtaignes. Rincez la casserole. Remettez-y les châtaignes, ajoutez 30 cl d'eau et le sucre. Faites mijoter 20 minutes sur feu doux, ajoutez la sauce de soja, faites cuire encore 5 minutes, retirez du feu, laissez refroidir.

Pour servir, égouttez et déposez 3 châtaignes par personne dans des petits bols.

Yôkan de patate douce aux marrons
Imô yôkan

1 patate douce orangée de 300 à 350 g
60 g de sucre
1 cuillerée à café de poudre d'agar-agar
1 poignée de brisures de marrons glacés
Sel

THÉS
Gyôkuro, sencha, kukicha

Difficulté *
Pour 4 à 6 personnes
Préparation : 30 minutes
Trempage : 1 heure
Cuisson : 4 ou 20 minutes
{selon le mode
de cuisson}

USTENSILES SPÉCIAUX
un petit bac rectangulaire
en plastique ou en métal,
film étirable, moulin à légumes
et éventuellement chinois fin

Garnissez le fond et les parois du bac de film étirable en faisant bien adhérer celui-ci.

Épluchez et lavez la patate douce. Coupez-la en morceaux de 2-3 cm environ. Faites-les tremper 1 heure dans de l'eau froide, puis égouttez-les.

Faites-les cuire 4 minutes au four à micro-ondes ou 20 minutes à la vapeur. Passez-les au moulin à légumes, grille fine. Remuez bien la purée obtenue : si elle n'est pas parfaitement lisse, passez-la à travers un chinois fin en pressant bien avec une cuillère.

Dans une casserole, réunissez le sucre, l'agar-agar et 20 cl d'eau. Mélangez, puis portez à ébullition. Ajoutez la purée de patate douce et mélangez soigneusement au fouet jusqu'à obtention d'une purée parfaitement lisse, comme une soupe épaisse. Ajoutez les brisures de marrons glacés, mélangez encore, puis laissez tiédir 1 minute. Versez le tout dans le bac garni de film étirable et lissez la surface avec une spatule. Laissez complètement refroidir, puis servez découpé en cubes.

LE *YÔKAN* EST UNE CONFISERIE JAPONAISE POPULAIRE À BASE DE PÂTE DE HARICOT ROUGE *AZUKI* ET DE GÉLATINE D'ALGUE {*AGAR-AGAR*}. IL SE PRÉSENTE GÉNÉRALEMENT EN RECTANGLES ET PEUT ÊTRE AROMATISÉ, PAR EXEMPLE AU THÉ VERT. CETTE VERSION EST À BASE DE PATATE DOUCE ET DE MARRONS GLACÉS. IL EST IMPORTANT D'UTILISER DE LA PATATE DOUCE À CHAIR ORANGE POUR SA DOUCEUR, SA COULEUR ET SA TEXTURE FINE. VOUS TROUVEREZ LA POUDRE D'*AGAR-AGAR* DANS LES ÉPICERIES ASIATIQUES.

Financiers au thé vert macha

190 g de beurre
75 g de poudre d'amandes
3 cuillerées à soupe rases de thé **macha** en poudre
50 g de farine
150 g de sucre glace
4 blancs d'œufs

THÉS
Un oolong chinois fleuri
{*dan cong, tieguanyin*} ou
taïwanais {*dong ting*}
pour établir un contraste
avec le goût de thé vert
des financiers

Difficulté *
Pour 8 à 10 financiers
Préparation : 15 minutes
Cuisson : 14-15 minutes

USTENSILES SPÉCIAUX
8 moules à financiers
ou une plaque à financiers
en silicone, une plaque
à pâtisserie, un pinceau

Préchauffez le four à 180 °C {th. 6}. Posez vos moules sur la plaque.

Faites fondre le beurre et laissez cuire sur feu doux jusqu'à ce qu'il blondisse légèrement. Filtrez-le à travers une passoire fine et laissez-le tiédir. Beurrez les moules à l'aide d'un pinceau.

Mélangez la poudre d'amandes, le thé, la farine et le sucre glace. Ajoutez les blancs d'œufs et fouettez jusqu'à obtention d'une pâte homogène. Ajoutez le beurre fondu sans cesser de fouetter. Versez la pâte dans les moules aux deux tiers de leur hauteur.

Faites cuire 4 minutes au four ; baissez la chaleur du four à 160 °C et continuez la cuisson encore 6 ou 7 minutes. Le sommet des financiers doit être encore un peu humide. Laissez ensuite les financiers 4 minutes dans le four éteint. Démoulez et laissez refroidir sur une grille.

La Corée

La culture du thé coréen est moins connue en Occident que ses équivalents chinois et japonais, en raison de la longue interruption historique qu'elle a subie entre le XIVe et le XIXe siècle. C'est depuis l'indépendance {1945} qu'elle a repris son plein essor. Son origine remonterait à la fin du VIIe siècle, lorsque les premiers théiers furent culti-vés en Corée à partir de graines rapportées de Chine par des moines bouddhistes.

Thé et bouddhisme ont toujours été intimement associés. Pendant l'âge d'or du bouddhisme coréen, du VIIᵉ au XIVᵉ siècle, le thé était une boisson sacrée, présentée en offrande aux ancêtres et aux statues saintes, servie aux cérémonies royales, chantée dans de nombreux poèmes, stylisée en rituels variés. La « Voie du Thé » est alors tout imprégnée du sens du merveilleux propre à la Corée ; les maîtres de thé font bâtir d'élégants pavillons de thé et favorisent un art raffiné de la poterie. Le thé est une boisson spirituelle, un vecteur, un lien mystique entre l'humanité et le cosmos. Il purifie l'âme, le corps et l'esprit, il est plus que lui-même et il nous rappelle que, nous aussi, nous sommes plus que nous ne le croyons. Parce qu'il contient en lui les cinq saveurs fondamentales — l'amer, le doux, l'acidulé, le salé et l'astringent —, il rappelle la condition humaine, les émotions et les souffrances de la vie. Et « la Voie du Thé n'a pas de portes » : elle est ouverte à tous.

Lorsque, à la fin du XIVᵉ siècle, le confucianisme s'imposa en Corée au détriment du bouddhisme, la culture du thé en fit les frais. Des temples furent détruits, et avec eux leurs plantations de thé. Le thé connut une éclipse partielle jusqu'au XIXᵉ siècle, époque où il fut redécouvert et où la Voie du Thé fut, peu à peu, réinstituée.

Autour des temples détruits, les théiers des plantations dévastées avaient continué de croître à l'état semi-sauvage, par exemple au sud, dans la région du mont Chiri. Aujourd'hui encore, c'est de là que provient le thé le plus réputé, produit en pleine nature dans des conditions artisanales. Des plantations plus importantes ont été créées, mais le style coréen est toujours respecté : il s'agit exclusivement de thé vert, appelé *chaksol*, « langue d'oiseau », allusion à la forme des feuilles, ou *chugno*, « rosée de bambou » — car les théiers poussent souvent à l'ombre des bambous et reçoivent la rosée qui tombe de leurs feuilles.

La cueillette du thé commence en avril, se déroule sur deux mois et ne s'exerce que sur les bourgeons terminaux. Contrairement au goût japonais qui exige un thé végétal, rappelant les algues marines, le goût coréen se porte sur des notes de pain grillé et de noisette. Cette préférence est reflétée dans d'autres spécialités coréennes, comme les thés de céréales, les laits extraits de graines oléagineuses ou de riz grillé. Les thés verts coréens sont donc rapidement séchés et soigneusement torréfiés, ce qui leur donne un goût crémeux, herbacé, vif et doux. On dit que l'arôme d'un bon thé doit rappeler celui d'une peau de bébé.

Il existe deux catégories principales de thé vert coréen, résultant de deux méthodes de traitement différentes. Celle qui produit le thé de qualité courante consiste à torréfier brièvement les feuilles à haute température, puis à les rouler mécaniquement. Elles sont ensuite soumises, neuf fois de suite, à des températures moins élevées, jusqu'au séchage complet. Le thé le plus fin, le plus réputé, est obtenu au moyen d'une technique appelée *jeungcha*. Il faut ébouillanter rapidement les feuilles, les égoutter et les torréfier pendant deux heures. Le roulage manuel des feuilles est pratiqué au cours de la torréfaction.

Faire un bon thé vert

Le choix de l'eau est important — eau de source ou eau filtrée —, mais l'essentiel, en présence de ces thés d'une grande délicatesse, est surtout de veiller à la température d'infusion. Il ne faut pas dépasser 65 °C, voire 60 °C. L'eau sortant de la bouilloire est même refroidie dans un récipient intermédiaire avant d'entrer dans la théière. Les thés coréens sont sensibles, capricieux, et ne supportent pas la surchauffe. Il convient ensuite de ne pas dépasser trois minutes d'infusion et de vider la théière en une seule fois.

Le thé coréen est habituellement servi à l'aide d'une petite théière à manche droit ; on ne remplit pas une tasse en une fois mais en plusieurs fois, en alternant les tasses, afin de distribuer également la concentration du thé. L'eau chaude n'est pas versée directement dans la théière mais d'abord tempérée dans un bol à bec verseur. Pendant que le thé infuse, le bol est à nouveau rempli d'eau chaude, qui sera à la bonne température lorsque la théière sera vide et prête pour une nouvelle infusion. La température est alors un peu plus élevée et le temps d'infusion plus court. Le thé est versé non dans les tasses mais dans le bol rafraîchisseur, et les convives se servent directement.

●●●

Un pays de boissons

Le thé, dans la vie quotidienne des Coréens, occupe une place enviable, mais il doit partager la vedette avec d'innombrables préparations fraîches ou chaudes à base de fruits, d'herbes, de noix, d'amandes, de pignons, de céréales… De même que la cuisine coréenne est l'une des plus variées du monde, la Corée est aussi un pays de boissons.

Le nombre des spécialités à boire, des infusions aux jus en passant par les laits de céréales ou de graines oléagineuses, y est étourdissant. Le *poricha*, thé d'orge grillé, accompagne les repas {voir page 19}.

●●●

Note sur les thés

Les thés coréens n'étant pas très faciles à trouver en France, je donne peu de conseils d'accompagnement, sachant que n'importe quel thé coréen conviendra à toutes les recettes, ainsi d'ailleurs que le thé d'orge. Le cas échéant, je conseille aussi des thés japonais ou chinois.

Thé de kaki

VOUS TROUVEREZ LES KAKIS SÉCHÉS
DANS LES MAGASINS ASIATIQUES,
EN PROVENANCE DU JAPON OU DE CORÉE.

Pour 1 litre
Préparation : 10 mn • Cuisson : 30 mn
1 litre d'eau / 60 g de gingembre non pelé, rincé et égoutté / 2 bâtons de cannelle de Chine / 120 g de sucre / 2 kakis séchés

Taillez le gingembre en tranches fines et les kakis séchés en petits triangles.

Portez l'eau à ébullition avec le gingembre et la cannelle ; laissez frémir 30 minutes sur feu doux. Filtrez, retirez le gingembre mais laissez la cannelle. Ajoutez le sucre et les kakis au liquide encore chaud, laissez refroidir.

Gardez au réfrigérateur et servez froid.

Steak tartare à la poire
Yuk hoe

300 g de rumsteak ou de tranche en un morceau, ficelé

2 ciboules

3 gousses d'ail {dégermées si nécessaire}

2 cuillerées à soupe de sucre

1 cuillerée à soupe de saké {facultatif}

3 cuillerées à soupe de sauce de soja corsée {Kikkoman}

1 ou 2 cuillerées à café de poudre
de piment rouge coréen {selon votre goût}

2 cuillerées à soupe de graines de sésame grillées

2 cuillerées à soupe d'huile de sésame grillé

1 poire asiatique {*nashi*}

2 jaunes d'œufs très frais

3 cuillerées à soupe de pignons de pin

4 feuilles de cœur de laitue et quelques tranches
de concombre pour le service

Sel

THÉS
Thé vert, thé d'orge,
genmaicha,
de préférence glacés

Difficulté **

Pour 4 personnes
Préparation : 25 minutes
Repos : 30 minutes

USTENSILES SPÉCIAUX
1 couteau très tranchant

UN PLAT INSOLITE,
RAFFINÉ ET DÉLICIEUX.
LE SECRET RÉSIDE DANS
LE TRANCHAGE : POUR
LE FACILITER, CHOISISSEZ
DU RUMSTEAK DÉJÀ
FICELÉ EN RÔTI. ÉVITEZ
LE FILET, QUI N'A PAS
ASSEZ DE GOÛT.
LA RECETTE D'ORIGINE
PRÉCONISE DE LA POIRE
ASIATIQUE {NASHI},
MAIS VOUS POUVEZ
UTILISER UNE POIRE
EUROPÉENNE.

Enveloppez la viande dans du film étirable et gardez-la 30 minutes au congé-lateur pour la raffermir. Retirez le film étirable, la ficelle et la barde, et décou-pez la viande en tranches de 2 mm environ. Découpez ensuite ces tranches en bâtonnets de 2 mm d'épaisseur.

Épluchez la poire et taillez-la en bâtonnets. Faites-les tremper quelques minutes dans de l'eau sucrée additionnée de glaçons, puis égouttez-les.

Épluchez les ciboules et l'ail. Hachez l'ail grossièrement, ciselez finement les ciboules. Mélangez l'ail, les ciboules, le sucre, le saké, la sauce de soja, la poudre de piment, les graines et l'huile de sésame. Le sucre doit être bien dissous. Ajoutez ce mélange à la viande hachée, salez, poivrez, mélangez soigneusement. Goûtez et rectifiez l'assaisonnement en sauce de soja, en sel ou en sucre.

Mélangez le tartare avec les jaunes d'œufs juste avant de servir.

Disposez une feuille de laitue au milieu de chaque assiette. Déposez 1 por-tion de tartare au milieu, couvrez des bâtonnets de poire et de pignons de pin. Garnissez également de bâtonnets de concombre si vous le désirez. Servez immédiatement.

Salade de bulots pimentée
Gul-bang-ee mu jim

1 kg de bulots bien vivants {vérifiez-les un à un}, plutôt petits
1 piment rouge frais
1 morceau de concombre
4 ou 5 feuilles de *shiso* {dans les magasins de produits asiatiques}
1 petit oignon doux
Gros sel marin

LA SAUCE
2 gousses d'ail
1 cuillerée à soupe de poudre de piment rouge coréen
1 cuillerée à soupe de sauce de soja
2 cuillerées à soupe de sucre
1 cuillerée à soupe de graines de sésame grillées {voir page 25}
1 cuillerée à soupe d'huile de sésame grillé
Sel

THÉS
Thé vert, thé d'orge, pu-erh

Difficulté **
Pour 6 à 8 petites portions
Préparation : 20 minutes
Dégorgeage des bulots :
1 heure
Cuisson : 15 minutes

Lavez les bulots une première fois à l'eau froide courante. Réunissez-les dans une bassine et ajoutez 2 poignées de gros sel. Mélangez bien. Laissez reposer 1 heure, puis rincez de nouveau les bulots jusqu'à ce qu'ils soient parfaitement propres.

Déposez-les dans une grande casserole, couvrez d'eau froide, ajoutez 2 cuillerées à soupe de gros sel et le piment frais. Portez à ébullition, couvrez, baissez le feu et laissez cuire 15 minutes à petits bouillons. Ne prolongez pas la cuisson. Égouttez les bulots et retirez-les de leur coquille à l'aide d'une pique.

Écrasez finement les gousses d'ail. Mélangez-les aux autres ingrédients de la sauce.

Coupez le concombre et l'oignon en julienne, ciselez finement les feuilles de *shiso*. Mélangez le tout dans un saladier avec les bulots tièdes. Au dernier moment, nappez de la sauce. Servez.

Croquettes de crabe

200 g de chair de crabe décortiquée
250 g de riz cuit
1 petit oignon
2 gousses d'ail
1 petite carotte
Huile pour friture
Sel, poivre du moulin

LA SAUCE
12 cl de sauce de soja corsée {Kikkoman}
1 cuillerée à soupe d'huile de sésame grillé
1 cuillerée à soupe de graines de sésame grillées {voir page 25}
2 ciboules épluchées et ciselées
1 cuillerée à café de poudre de piment rouge coréen
{ou de tout autre piment pas trop fort}

THÉS
Thé vert, thé d'orge

Difficulté *
Pour 4 personnes
Préparation : 15 minutes
Cuisson : 6 minutes

USTENSILES SPÉCIAUX
friteuse, bassine à friture
ou poêle en fonte contenant
au moins 2 cm d'huile

Préparez la sauce à l'avance en mélangeant tous les ingrédients. Conservez au frais dans un récipient fermé.

Vérifiez du bout des doigts que la chair de crabe ne contient plus de cartilage ni de débris de coquille. Mixez le riz cuit de façon à obtenir une pâte lisse.

Épluchez l'oignon, l'ail et la carotte. Râpez finement la carotte et l'ail, hachez finement l'oignon.

Faites chauffer l'huile pour la friture. Mélangez le crabe, le riz, l'oignon, l'ail, la carotte, sel et poivre. Façonnez cette pâte en croquettes de 4 cm de diamètre environ, légèrement aplaties. Faites-les frire dans l'huile jusqu'à ce qu'elles soient bien dorées {3 minutes sur chaque face}. Égouttez-les sur du papier absorbant.

Servez chaud ou tiède avec la sauce d'accompagnement.

Tofu en deux cuissons

2 pains de tofu ferme
3 gousses d'ail
2 ciboules
2 cuillerées à soupe d'huile végétale
2 piments rouges séchés de 5 cm de longueur environ
2 cuillerées à soupe de sauce de soja corsée {Kikkoman}
1/2 cuillerée à soupe de poudre de piment rouge coréen
{ou de paprika piquant}
2 cuillerées à café de graines de sésame grillées {voir page 25}
1/2 cuillerée à café de sel

THÉS
Thé vert, thé d'orge, oolong

Difficulté *
Préparation : 15 minutes
Repos : 10 minutes
{les filaments de piment sont
à préparer à l'avance}
Cuisson : 20 minutes

Préparez à l'avance les filaments de piment séché : retirez le pédoncule des piments, secouez ceux-ci pour éliminer les graines. Faites-les tremper 10 minutes dans de l'eau chaude, puis égouttez-les et, à l'aide d'un couteau tranchant, taillez-les en fines lanières dans le sens de la longueur. Faites sécher ces lanières à l'air libre ou à four très doux.

Coupez chaque pain de tofu en 4 cubes. Épongez-les et pressez-les légèrement dans du papier absorbant, puis salez-les sur une face et laissez reposer 10 minutes. Faites-les ensuite colorer à la poêle dans l'huile chaude, 2-3 minutes de chaque côté. Égouttez-les sur du papier absorbant.

Hachez finement l'ail. Épluchez les ciboules et coupez-les en tronçons de 5 cm. Dans un bol, mélangez la sauce de soja, 2 cuillerées à soupe d'eau, la poudre de piment, le sésame, le sel et les ciboules. Versez le tiers de ce mélange dans une casserole antiadhésive. Ajoutez une couche de cubes de tofu, quelques filaments de piment, encore un peu de sauce et de ciboules. Couvrez du reste de cubes de tofu, ajoutez le reste de sauce et de ciboules, plus quelques filaments de piment. Couvrez à demi et faites cuire 15 minutes sur feu doux. La sauce doit réduire presque complètement.

Servez 2 cubes de tofu par personne, garnis du reste de filaments de piment.

Pommes de terre braisées

500 g de pommes de terre à chair ferme
1 cuillerée à soupe de gros sel
3 cuillerées à soupe de sauce de soja corsée {*Kikkoman*}
60 g de sucre
1 gousse d'ail finement hachée
1/2 cuillerée à soupe d'huile végétale
Poivre du moulin

THÉS
Thé vert, thé d'orge,
genmaicha

Difficulté *
Pour 4 portions
Préparation : 10 minutes
Cuisson : 20 minutes

Pelez et lavez les pommes de terre ; coupez-les en morceaux de 3 cm environ. Mélangez le gros sel et 25 cl d'eau ; faites-y tremper les pommes de terre pendant 10 minutes. Égouttez-les et déposez-les dans une petite sauteuse.

Mélangez le reste des ingrédients et ajoutez 15 cl d'eau. Versez le tout sur les pommes de terre, portez à ébullition et faites cuire 20 minutes sur feu moyen en remuant de temps en temps. Retirez les pommes de terre avec une écumoire et servez-les tièdes dans un petit plat, arrosées du jus restant dans la casserole.

SALÉES, SUCRÉES, FONDANTES, CES POMMES DE TERRE ONT TOUJOURS BEAUCOUP DE SUCCÈS. ELLES SONT PLUTÔT UN ACCOMPAGNEMENT QU'UN PLAT AUTONOME, DONC IL VAUT MIEUX LES SERVIR AVEC D'AUTRES PLATS.

Boulettes de châtaignes

200 g de châtaignes cuites décortiquées
sous vide {ou cuites maison}
2 cuillerées à soupe de graines
de sésame grillées {voir page 25}
2 pincées de sel
2 cuillerées à soupe de miel liquide
2 cuillerées à soupe de pignons de pin

Dans un mortier, réunissez les châtaignes cuites, les graines de sésame et le sel. Pilez jusqu'à obtention d'une pâte lisse et homogène. Ajoutez le miel et mélangez bien. Façonnez ce mélange en boulettes de 3 cm de diamètre environ.

Mixez les pignons de pin en poudre fine et roulez les boulettes dans cette poudre. Servez sur un petit plat.

THÉS
Thé vert, thé d'orge,
oolong fermenté, thé rouge

Difficulté *
Pour 4 personnes
Préparation : 15 minutes

USTENSILES SPÉCIAUX
mortier et pilon
(ou mixeur).

POUR ACCOMPAGNER UN THÉ VERT BIEN CHAUD D'UNE NOTE LÉGÈREMENT SUCRÉE. J'AI PRÉVU LA RECETTE POUR DES CHÂTAIGNES SOUS VIDE, MAIS SI VOUS AVEZ DES CHÂTAIGNES FRAÎCHES, FENDEZ L'ÉCORCE SUR LE CÔTÉ BOMBÉ DE CHAQUE CHÂTAIGNE, FAITES-LES CUIRE 30 MINUTES DANS DE L'EAU SUR FEU DOUX, LAISSEZ-LES REFROIDIR COMPLÈTEMENT PUIS RETIREZ LES DEUX ÉCORCES EN MÊME TEMPS.

La Chine

Riche d'une tradition plurimillénaire et pourtant toujours jeune, la culture chinoise du thé échappe aux définitions. Sa connaissance est encore une affaire d'explorateur : rares sont ceux qui peuvent prétendre la connaître en son entier. Elle évolue en permanence : producteurs, maîtres de thé et artisans créent de nouvelles formes, de nouveaux crus, de nouvelles plantations ; le marché de thé de Guangzhou – le plus grand de Chine et par conséquent du monde – comporte plus de sept mille boutiques et ne cesse de s'étendre.

Les thés chinois intimident par leur nombre, leur diversité et leur longue histoire. Et pourtant, il suffit de s'asseoir dans une maison de thé cantonaise pour goûter la simplicité, la chaleur de cette tradition. Loin d'être une cérémonie rigide et formaliste, le rituel du thé, appelé *gongfu cha*, est un moment de grâce et de détente. Le monde du thé chinois se montre tour à tour hermétique et accueillant. Finalement, c'est ce paradoxe qui le résume le mieux. Cet art du thé s'accompagne, depuis les origines, d'un art de manger. *Yum cha*, littéralement « boire du thé », désigne en cantonais un style de cuisine conçu pour le thé, à base de petits plats cuits à la vapeur ou frits, de soupes de riz {congees} et de pâtisseries sucrées ou salées. Ce répertoire est plus connu sous le nom de *dim sum* en cantonais et *dian xin* en mandarin. Par ailleurs, tout repas chinois est accompagné de thé {en général du oolong ou du pu-erh}. Même quand il n'est pas question de repas, on sert toujours quelque chose à grignoter avec le thé, il active la digestion. Correctement préparés, les thés chinois donnent faim, surtout les oolongs et les pu-erhs. Ils sont à l'origine de ce qu'on peut appeler le « cercle vertueux cantonais » : comme on mange en buvant du thé, la faim revient vite ; donc on remange en buvant du thé, et ainsi de suite. Voilà pourquoi les Chinois du Sud mangent souvent et restent sveltes.

Les couleurs du thé

Le thé chinois diffère du thé occidental, russe ou indien par quelques principes simples : il est bu sans lait ni sucre ; son mode de préparation varie selon le type de thé ; il est infusé plusieurs fois, ce qui permet de goûter des nuances différentes d'une infusion à l'autre. Enfin, il y en a littéralement de toutes les couleurs, et ces couleurs permettent de les classifier.

La couleur d'un thé est déterminée par l'aspect des feuilles infusées, et non des feuilles séchées. Ainsi, les thés rouges, à l'état sec, sont fauves ou noirs. Après infusion, leurs feuilles prennent un ton brun-rouge caractéristique alors que celles des pu-erhs cuits sont d'un noir opaque et que celles des oolongs {thés bleu-vert} se teintent de vert-de-gris.

Les **thés rouges** sont ceux que nous appelons en Occident « thés noirs ». Ils sont oxydés, parfois fumés, ce sont les plus forts en caféine. Infusion : eau à 90-100 °C.

Quelques thés rouges

Keemun : produit à Qimen, dans la province d'Anhui. Long en bouche, il possède des tons boisés et vineux, avec parfois une légère touche fumée.

Dian hong {Yunnan} : cette famille de thés du Yunnan regroupe de bons thés rouges pouvant servir de base à des mélanges.

Lapsang souchong : produit dans le Fujian, oxydé puis séché au-dessus d'un feu de conifères, il en retire une saveur fumée caractéristique.

Ying de {Guangdong} : conçus pour concurrencer les yunnan, ces thés encore peu connus sont fins et équilibrés. Délicieux avec du lait {eh oui !}.

Tarry souchong : produit à Taiwan et fumé au bois de cyprès. L'arôme fumé, plus prononcé que celui des lapsang, se teinte de réglisse et de caramel.

Thés rouges aromatisés : le thé à la rose du Guangdong est un régal. On peut aussi se laisser séduire par un thé au lotus ou à l'osmanthe, une fleur jaune très parfumée.

Les **thés noirs** sont des thés en brique relativement rares. Les thés pu-erh du Yunnan, qui sont des thés de garde, leur sont apparentés. En réalité, les pu-erhs sont une catégorie complexe, difficile à classer. En effet, selon que l'on a affaire à un pu-erh « cru » ou à un pu-erh « cuit », il s'apparente plutôt à un thé vert dans le premier cas et à un thé noir dans le second. Il existe des thés pu-erhs aromatisés, notamment à la rose ou au chrysanthème. Infusion : eau à 100 °C, en théière.

Quelques pu-erhs

Le **pu-erh vert** est un thé non oxydé, mais pressé en formes solides : galette ronde {*bingcha*}, champignon, melon, bol {*tuocha*}, brique, pastille, etc. Une post-fermentation a lieu après le pressage, et un long vieillissement en cave donne à ce thé tout son caractère — et son prix élevé. Le conditionnement en formes pressées permettait autrefois de transporter le thé sur de longues distances sans risque d'altération ; les briques de pu-erh vert et de thé noir furent les premiers thés « de caravane ».

Le **pu-erh cuit**, de création relativement récente {années 1970}, subit une post-fermentation bactérienne humide tenant du compostage afin de présenter les caractéristiques d'un pu-erh vert vieilli. Il gagne, lui aussi, à être affiné longuement en cave, et certaines galettes millésimées atteignent des prix astronomiques ou sommeillent en cave pour encore longtemps.
Dans les deux cas, on obtient un thé très coloré, aux arômes d'humus {certains n'hésitent pas à parler de fumier, de crottin ou même d'haleine de chameau}. Le thé pu-erh a beaucoup d'adorateurs, mais aussi beaucoup de réfractaires qui le jugent trop terrien, voire terreux. Il faut être vigilant sur la provenance et recourir à de bons fournisseurs, car le pu-erh est le thé le plus contrefait. Contrairement aux autres thés, il ne craint ni l'excès de chaleur ni l'excès d'infusion, et ne devient jamais âcre. Il est doux au palais, calmant, désaltérant et rafraîchissant malgré son apparence rude, et pauvre en caféine.

Les **thés verts** ne sont ni oxydés ni fermentés, mais légèrement torréfiés peu après la cueillette. Leur saveur est fraîche et végétale, parfois onctueuse et crémeuse, avec des accents de pain grillé. Plutôt produits en Chine centrale et orientale, ils sont riches en vitamine C et en catéchines, antioxydants précieux pour la santé. Infusion : eau à 70-85 °C.

Quelques thés verts

Long jing {« puits de dragon »} : ce thé du Zhejiang se présente en longues feuilles étroites et aplaties. Les meilleurs *long jing* ont un goût de pain grillé, de petit pois cru et de caramel au lait, en plus d'une touche herbacée.
Bi luo chun {« printemps aux escargots verts »} : thé du Jiangsu aux feuilles vertes roulées en spirales {d'où le nom} ; il présente des arômes de noisette et d'agrumes, beaucoup de fraîcheur et une légère acidité.
Gunpowder : thé vert roulé en boulettes rappelant la poudre à canon. Principalement exporté vers l'Afrique du Nord où il sert à faire le thé à la menthe, il est peu consommé hors de ce contexte.
Thés aux fleurs : au jasmin, à l'osmanthe, à la rose... Les fleurs sont séchées avec les feuilles

de thé, puis retirées, ou laissées si leur arôme n'est pas trop puissant. Les thés de moindre qualité, parfumés par vaporisation d'essences, sont plus capiteux, voire désagréables. Les mêmes remarques valent pour les thés blancs parfumés.

Les **thés blancs** sont produits dans le Fujian. Les meilleurs, très rares, proviennent de Zheng He. 90 % de la production vient de la ville de Fu Ding. Ce sont des bourgeons terminaux juste séchés, la plante à l'état pur. On les infuse assez longuement, entre 70 et 85 °C.

Quelques thés blancs

Bai hao yin zhen {« aiguilles d'argent »} : fins bourgeons terminaux argentés, recouverts de duvet. C'est un thé très subtil, parfois parfumé au jasmin. Eau à 65 °C, infuser 13 minutes.

Bai mu dan {« pivoine blanche »} : moins délicat que le yin zhen, il est de qualité variable. Les *bai mu dan* de Zheng He {Fujian} sont exceptionnels. Eau à 80-90 °C, infuser 3 minutes.

Boules de fleurs : ce sont des thés blancs façonnés en boule autour de fleurs séchées {jasmin, osmanthe, rose, amaranthe, œillet...}. Dans l'eau chaude, la boule s'ouvre et la fleur s'épanouit. Ces produits sont plus intéressants pour le décor que pour le palais, car la matière première est rarement de bonne qualité. Mais leur beauté est fascinante. En Chine, on les voit parfois dans des verres à pied, décorant les fenêtres des *hutong* {quartiers anciens}.

Les **thés jaunes** sont constitués de bourgeons terminaux légèrement fermentés à l'étouffée. Ce sont des thés délicats mais rares ; je ne les cite que pour mémoire.

Les **thés bleu-vert** ou **oolongs** {*wulong*}, dits « semi-fermentés », se situent entre les thés verts et les thés rouges. Leur degré de fermentation variable {entre 30 et 80 %} en fait la famille de thé la plus diversifiée de Chine. Selon le cas, ils peuvent produire une infusion pâle et florale ou, au contraire, colorée avec des accents torréfiés. Les oolongs furent inventés au mont Wuyi, dans le Fujian. Les meilleurs proviennent encore de cette région ainsi que du mont Wudong, dans le Guangdong. Ceux de Taiwan sont aussi réputés. Infusion : eau à 90-100 °C.

Quelques thés oolongs

Tieguanyin {Anxi, Fujian} : oolong vert, en feuilles roulées ; un des thés les plus recherchés pour ses accents floraux {orchidée, freesia, géranium} et fruités {la note de goyave est caractéristique}.

Da hong pao {mont Wuyi, Fujian} : un thé illustre, souvent appelé « le roi des thés ». Floral, crémeux, légèrement fumé, riche et long en bouche.

Rou gui {mont Wuyi, Fujian} : arômes d'épices {cannelle, vanille} et de chocolat.

Shui xian {mont Wuyi, Fujian} : = les *shui xian*, assez fermentés, outre les notes florales typiques des thés de Wuyi, ont un goût dit « de feu de bois » {à ne pas confondre avec le goût fumé des lapsang souchong} dû à une légère torréfaction au charbon. Cacao, vanille, pain grillé.

Dan cong {mont Wudong, Guangdong} : ces oolongs, récoltés sur de très vieux arbres, sont renommés pour leurs exceptionnels arômes floraux et fruités {pêche, litchi, iris, glycine}.

Dong ting {Taiwan} : thés de montagne en feuilles roulées, à l'arôme herbacé et fleuri.

Pouchong {Taiwan} : un oolong floral et délicat, avec des accents de caramel au lait.

La théière de Yixing

Les gisements argileux de Yixing, dans le Jiangsu, donnent une terre unique au monde, appelée *zisha*. Fine, dense et légèrement sableuse, elle se prête à la fabrication de poteries de qualité supérieure. Les théières de Yixing, fabriquées depuis la dynastie Song {960-1279}, sont petites, car elles sont faites pour être vidées en un service, le thé étant réinfusé plusieurs fois. Leur taille correspond à un nombre de tasses : il en existe de minuscules pour une tasse. L'intérieur n'est jamais vernissé, l'extérieur non plus, à part quelques rares décorations. La terre de Yixing sert aussi à fabriquer des pichets, des tasses, des figurines qui tous trouveront leur place sur la table du *gongfu cha*.

On consacre une théière à un seul thé {généralement un oolong ou un pu-erh} dont elle absorbera peu à peu les arômes. Il ne faut jamais tester un nouveau thé dans une de ces théières ; pour cela, utilisez un *gaiwan*. La théière de Yixing se bonifie avec le temps : on dit qu'à la longue, il suffit d'y verser de l'eau bouillante pour obtenir du thé.

Vous pouvez voir, sur la photographie de la page 55, quelques théières de Yixing et un pichet du même matériau rassemblés sur un plateau à *gongfu cha* en grès.

Si vous achetez une théière de Yixing, voici comment la préparer à son usage : essuyez et rincez l'intérieur, puis remplissez la théière d'eau froide et laissez-la reposer toute une nuit. Le lendemain, placez la théière dans une grande casserole, couvrez-la d'eau et faites bouillir 30 minutes sur feu doux. Ensuite videz la théière, mettez-y des feuilles de thé et de l'eau bouillante. Versez le thé dans la casserole, ajoutez assez d'eau pour recouvrir la théière, portez à ébullition, retirez du feu et plongez de nouveau la théière dans l'eau. Laissez reposer 3 minutes. Videz et rincez la théière ; elle est prête à être utilisée.

Pour nettoyer une théière de Yixing, videz-la, rincez-la à l'eau claire et laissez-la sécher sans son couvercle. N'utilisez jamais de détergent ni d'abrasif.

À la théière de Yixing

Cette méthode convient aux thés rouges, oolongs ou pu-erhs. Remplir la théière d'eau bouillante {90-100 °C}, poser le couvercle et arroser la théière. La vider dans le pichet, puis dans les tasses pour les chauffer. Vider les tasses en les saisissant avec la pince.

Introduire les feuilles dans la théière à un tiers de sa hauteur. Verser l'eau en la faisant légèrement déborder, poser le couvercle d'un geste circulaire afin de ramener les feuilles à l'intérieur du récipient et d'éliminer les bulles d'air. Vider rapidement la théière ; cette infusion sert à rincer le thé. Remplir à nouveau la théière, la couvrir, l'arroser. Dès que la surface de la théière est sèche, le thé est prêt.

Vider la théière dans le pichet à travers la passoire, puis verser le thé dans les tasses. Procéder à plusieurs infusions.

Au gaiwan

Vous pouvez voir un gaiwan aux pages 52, 68-69 et 78. Il s'agit d'un récipient en trois parties (coupe, soucoupe et couvercle) conçu pour infuser et boire le thé. Son usage date de la dynastie Ming. Cette méthode est recommandée pour les thés oolongs, verts ou blancs. Verser l'eau chaude {70-80 °C pour les thés blancs ou verts, 90-100 °C pour les autres thés} dans le gaiwan pour le chauffer, vider le gaiwan dans le pichet, puis dans les tasses. Vider les tasses.

Déposer le thé dans le fond du gaiwan {7 g de thé pour 20 cl d'eau}, remplir le gaiwan d'eau et poser le couvercle légèrement de chant. Vider immédiatement le gaiwan en se servant du couvercle comme filtre. Pour cela, saisir ensemble les trois éléments du gaiwan {soucoupe, coupe, couvercle} et les maintenir d'une seule main, le pouce serrant le bouton du couvercle et les autres doigts étreignant la soucoupe. Une fois le thé rincé, entrouvrir le gaiwan et le passer aux convives pour humer le thé. Remplir le gaiwan d'eau chaude, éliminer les bulles d'air, couvrir, laisser infuser le temps voulu, puis, toujours en tenant le gaiwan d'une main, le vider dans le pichet. Verser le thé dans les tasses. Faire plusieurs infusions à volonté, en augmentant légèrement le temps d'infusion à chaque fois, mais en laissant toujours dans le gaiwan un peu de thé de l'infusion précédente.

En infuseur de verre

Les infuseurs en verre spécialement conçus pour le thé de Chine se composent d'une théière munie d'un couvercle creux et d'un filtre interne amovible en verre ou en métal. Une fois le thé infusé le temps nécessaire, ce filtre doit être posé sur le couvercle retourné en attendant la prochaine infusion. Ces infuseurs permettent de faire un thé plus dilué et en plus grande quantité qu'en *gongfu cha*. Le nombre d'infusions est également moindre. Il n'est pas nécessaire d'ébouillanter la théière, en revanche il ne faut jamais oublier de rincer les feuilles avec un peu d'eau chaude que l'on jette avant de procéder à la première infusion.

Autres thés

Bubble tea
Boba

 TAIWAN

C'EST UN THÉ CONTEMPORAIN, UN GADGET À BOIRE, AVEC UNE TOUCHE DE KITSCH ASIATIQUE. EN PLUS, C'EST DÉLICIEUX ET RAFRAÎCHISSANT EN ÉTÉ. SPÉCIALITÉ TAÏWANAISE, LE *BOBA* A ÉTÉ ADOPTÉ AVEC ENTHOUSIASME DANS TOUTE L'ASIE DU SUD-EST, AU JAPON ET JUSQU'AUX ÉTATS-UNIS.

Difficulté * Pour 4 à 6 personnes
Préparation et cuisson : 25 min • Repos : 30 min
Ustensiles spéciaux : un mixeur {blender}
ou un grand shaker {un grand récipient muni
d'un couvercle hermétique fait l'affaire}

6 cuillerées à soupe de grosses perles
de *sago* {tapioca}
100 g de sucre semoule
100 g de sucre muscovado
20 cl d'eau

Dans une casserole, mélangez les deux sucres et l'eau. Portez doucement à ébullition en remuant ; le sucre doit être bien dissous avant l'ébullition. Retirez du feu.

Mesurez les perles de tapioca. Comptez 8 fois leur volume d'eau. Portez l'eau à ébullition dans une casserole, jetez-y les perles en vous assurant qu'elles flottent bien, et faites cuire 25 minutes sur feu doux sans couvrir la casserole. Retirez du feu, couvrez et laissez reposer 30 minutes à couvert. Égouttez les perles, rincez-les à l'eau froide dans une passoire en les remuant bien avec votre main pour les séparer.

Pour préparer un *bubble tea* chaud, déposez quelques cuillerées de perles dans un grand verre, couvrez-les d'un peu de sirop chaud. Ajoutez lait concentré non sucré et thé rouge chaud à volonté.

Pour un *bubble tea* glacé, préparez du thé rouge bien fort, filtrez-le, puis laissez-le refroidir à température ambiante. Versez quelques cuillerées de perles de tapioca dans chaque grand verre.

Dans un shaker, réunissez 1 mesure de sirop, 5 mesures de thé, 2 mesures de lait concentré non sucré {mais vous pouvez varier les proportions à votre goût} et plusieurs glaçons. Secouez bien, puis versez dans les verres.

Vous pouvez utiliser, avec ou sans lait, toutes sortes de thés rouges, mais aussi des oolongs ou des thés verts assez concentrés.

Pocha
Thé tibétain au beurre

 TIBET

Difficulté [*] Pour 1,5 l env. • Préparation : 10 min
Ustensiles spéciaux : un mixeur {blender}
ou un grand shaker {un grand récipient muni
d'un couvercle hermétique fait l'affaire}

DE L'AVIS DE CEUX QUI ONT GOÛTÉ LE VÉRITABLE THÉ AU BEURRE
DE YAK, IL N'EST PAS INDISPENSABLE DE CHERCHER À REPRO-
DUIRE LE FUMET D'ORIGINE. CETTE BOISSON, QUI TIENT PLUS
DE LA SOUPE QUE DU THÉ, EST TRÈS FORTIFIANTE.

1 l d'eau de source
1 tasse à café de thé pu-erh vert ou cuit
ou de thé noir en brique, émietté
1 cuillerée à café de sel marin
20 cl de lait entier
5 cl de crème liquide
20 g de beurre

Faites bouillir l'eau, retirez du feu, ajoutez le thé,
mélangez et remettez sur le feu pour une ébullition douce de 2 ou 3 minutes. Filtrez.

Réunissez le lait, la crème, le beurre et le sel dans
le bol d'un blender. Versez le thé et mixez au moins
3 minutes. Alternativement, utilisez un shaker ou
secouez le breuvage dans un récipient hermétiquement fermé. Plus on secoue le *pocha*, meilleur
il est. Servez immédiatement, bien chaud.

Œufs au thé
Cha ye dan

6 œufs fermiers
75 cl d'eau
1 cuillerée à soupe de thé rouge chinois en vrac
{yunnan, lapsang souchong ou tout autre thé rouge}
2 cuillerées à soupe de sauce de soja
4 anis étoilés
1 bâton de cannelle de Chine {concassé}
1 cuillerée à café de grains de poivre noir
1 morceau d'écorce de mandarine ou d'orange séchée
de 5 cm environ {10 cm si elle est fraîche}
1 petit copeau de *dang gui*, angélique chinoise {facultatif}

THÉS
Oolongs fermentés

L'ACCORD PARFAIT
Oolong *rou gui* de Wuyi

Difficulté *
Pour 6 personnes

Préparation : 5 minutes
Cuisson : de 2 à 3 heures

Versez l'eau dans une casserole. Ajoutez les œufs, portez à ébullition et faites cuire 3 minutes à frémissement.

Retirez les œufs avec une écumoire. Heurtez-les d'un côté, puis du côté opposé avec une cuillère pour les fêler très légèrement {vous pouvez vous dispenser de cette étape}.

Remettez-les dans la casserole, ajoutez le reste des ingrédients, couvrez, portez à frémissement et faites cuire de 2 à 3 heures sans bouillir. L'eau doit juste murmurer. Si elle s'évapore, ajoutez-en.

Deux heures est un minimum. Vous obtiendrez une couleur et une saveur plus intenses si vous prolongez la cuisson. Servez tiède ou froid.

CES ŒUFS SONT VENDUS À TOUS LES COINS DE RUE EN CHINE POUR CALMER LES PETITES FAIMS. CURIEUSEMENT, L'ŒUF GARDE MOINS LE GOÛT DU THÉ QUE CELUI DES ÉPICES. LES ŒUFS PEUVENT ÊTRE CRAQUELÉS {CE QUI LEUR DONNE UN ASPECT MARBRÉ} OU INTACTS {CE QUI LEUR DONNE UNE COULEUR BEIGE UNIFORME}. ESSAYEZ DE VARIER LA RECETTE EN UTILISANT UN THÉ OOLONG FERMENTÉ OU UN PU-ERH.

Toasts aux crevettes

500 g de crevettes crues décongelées
4 châtaignes d'eau fraîches ou en conserve
2 ciboules
1 petite noix de gingembre épluchée
1 cuillerée à soupe de vin de riz de Shaoxing
1 œuf battu
2 cuillerées à café de Maïzena
1 cuillerée à soupe de graines de sésame
10 petites tranches de pain de mie carrées
Huile pour friture
Sauce chili {Sriracha} pour servir
Sel

THÉS
Oolong *tieguanyin*
ou *pouchong* de Taiwan

L'ACCORD PARFAIT
Oolong *dan cong*

Difficulté *

Pour 4 personnes
Préparation : 30 minutes
Cuisson : 15 minutes environ

USTENSILES SPÉCIAUX
une friteuse ou
une bassine à friture

Décortiquez les crevettes, retirez la veine dorsale avec la pointe d'un couteau. Hachez-les très finement. Épluchez les châtaignes d'eau {si elles sont fraîches} et les ciboules, hachez-les finement. Râpez finement le gingembre. Mélangez le tout, ajoutez le vin de riz, l'œuf battu et la Maïzena. Salez suffisamment, mélangez bien.

Retirez les croûtes du pain de mie et coupez chaque tranche en deux en diagonale. Étalez-y la farce aux crevettes en une couche épaisse {1 cm environ}. Pressez bien la farce sur les tranches de pain à l'aide d'une spatule pour la faire adhérer. Saupoudrez de graines de sésame.

Faites chauffer l'huile pour la friture. Quand elle est très chaude {190 °C}, plongez-y quelques toasts aux crevettes et faites-les dorer sur les deux faces. Procédez en plusieurs fois pour ne pas encombrer le récipient de friture. Égouttez les toasts sur plusieurs couches de papier absorbant et servez bien chaud, avec de la sauce chili.

Soupe crémeuse au maïs

1 petit blanc de poulet cru
2 cuillerées à café de Maïzena
1 cuillerée à café de vin de riz de Shaoxing ou de saké
1 cuillerée à café de sucre
1 cuillerée à café de sauce de soja légère
1 gousse d'ail
1 petite tranche de gingembre
1 boîte {450 g} de maïs doux en grains {maïs blanc de préférence}
30 cl de bouillon de volaille
sel, poivre blanc du moulin

Taillez le blanc de poulet en fines lanières. Salez-les, poivrez-les, et mélangez-les soigneusement avec 1 cuillerée à café de Maïzena. Ajoutez le vin de riz, le sucre et la sauce de soja. Laissez reposer.

Épluchez et écrasez la gousse d'ail. Portez à ébullition le bouillon de volaille avec l'ail et la tranche de gingembre. Laissez frémir 10 minutes à couvert, puis retirez du feu, filtrez, couvrez, gardez au chaud.

Prélevez 2 cuillerées à soupe de maïs. Versez le reste du maïs, le jus contenu dans la boîte et le bouillon chaud dans le bol d'un mixeur. Mixez jusqu'à obtenir une crème homogène. Versez dans la casserole, faites chauffer.

Délayez le reste de Maïzena dans un peu d'eau. Portez la soupe à frémissement, ajoutez la Maïzena délayée, mélangez bien et laissez épaissir quelques instants. Ajoutez le poulet et sa marinade, faites cuire 1 minute, retirez du feu et couvrez.

Épluchez et hachez finement la ciboule. Coupez le piment en tranches. Servez la soupe dans des petits bols, garnie de ciboules et de piment. On peut ajouter huile de sésame et sauce de soja.

THÉS
Thés verts, thés blancs

L'ACCORD PARFAIT
Thé vert *bi luo chun*

Difficulté *
Pour 4 personnes
Préparation : 15 minutes
Cuisson : 12 minutes

POUR SERVIR
huile de sésame,
sauce de soja,
1 ou 2 ciboules,
1 petit piment rouge frais

Photo de la recette page suivante

Raviolis chiu chow

LA PÂTE

160 g d'amidon de blé {farine
sans gluten, se trouve dans
les épiceries asiatiques} ; ou,
à défaut, de farine ordinaire
1 cuillerée à soupe de Maïzena
15 cl d'eau bouillante
1 cuillerée à café de saindoux

LA FARCE

2 cuillerées à soupe
de crevettes séchées
1 tranche de jambon cru
de 2 mm d'épaisseur ou
1 saucisse chinoise séchée
2 châtaignes d'eau fraîches,

épluchées, ou en conserve
3 ciboules épluchées et lavées
Les feuilles de 2 branches
de céleri chinois
Les feuilles de 6 branches
de coriandre
2 cuillerées à soupe de cerneaux
de noix ou de cacahuètes grillées
1 cuillerée à soupe rase
de Maïzena
1 cuillerée à soupe de
sauce de soja légère
1 jaune d'œuf
Sel, poivre du moulin
Huile de chili *Chiu Chow*
Sauce de soja pour le service

Préparez la pâte : réunissez l'amidon de blé et la Maïzena dans un
bol. Versez-y l'eau bouillante. Mélangez bien et laissez reposer
20 minutes. Pétrissez sur un plan fariné en incorporant petit à petit
le saindoux jusqu'à ce que la pâte soit souple et satinée. Divisez cette
pâte en deux, roulez chaque pâton en un boudin de 15 cm, puis
coupez chaque boudin en tronçons de 2,5 cm. Façonnez-les en boulettes et couvrez-les d'un linge humide.

Faites tremper les crevettes séchées 10 minutes dans un peu d'eau
chaude. Égouttez-les puis hachez-les finement au couteau. Hachez
de même le jambon ou la saucisse, les châtaignes d'eau, les ciboules,
le céleri et la coriandre. Hachez plus grossièrement les cerneaux de
noix ou les cacahuètes. Mélangez le tout, ajoutez la Maïzena, la sauce
de soja et le jaune d'œuf. Salez et poivrez.

THÉS
Oolong fermenté, pu-erh cuit

L'ACCORD PARFAIT
Lapsang souchong

Difficulté ***

Pour 4 personnes
{12 raviolis}

Préparation : 40 minutes
Cuisson : 15 minutes

• suite de la recette
page suivante

Pour confectionner les raviolis, abaissez finement une boulette de pâte au rouleau. Déposez un peu de farce au centre, humectez les bords, puis repliez l'abaisse en deux. Scellez-la hermétiquement en pinçant et tordant les bords d'une extrémité à l'autre.

Déposez au fond d'un panier à vapeur quelques feuilles fines de chou chinois ou de papier sulfurisé ; faites cuire les raviolis de 12 à 15 minutes à la vapeur. Servez avec un peu d'huile *Chiu Chow* et de sauce de soja mélangées.

LE STYLE CULINAIRE DIT *CHIU CHOW* EST ORIGINAIRE DE LA VILLE MARITIME DE SHANTOU, DANS LE NORD DU GUANGDONG. SPÉCIALITÉS : AILERONS DE REQUIN, NIDS D'HIRONDELLE, ET L'HUILE PIMENTÉE À L'AIL GRILLÉ QUI ACCOMPAGNE CES RAVIOLIS. CE CONDIMENT AU GOÛT UNIQUE SE TROUVE DANS LES MAGASINS ASIATIQUES ET SUR INTERNET SOUS LE NOM DE « CHIU CHOW CHILI OIL » {MARQUE LEE KUM KEE}. LE CÉLERI CHINOIS EST PLUS PETIT QUE LE CÉLERI OCCIDENTAL, IL A AUSSI UN PARFUM PLUS DOUX. VOUS LE TROUVEREZ DANS LES MAGASINS ASIATIQUES. SI VOUS N'AVEZ PAS LE TEMPS {OU PAS ENVIE} DE PRÉPARER LA PÂTE, UTILISEZ DES FEUILLES POUR *GYÔZA* DÉCONGELÉES {VOIR PAGE 12}.

Bouchées de poulet au citron

2 blancs de poulet fermier, sans la peau
1 citron
1 œuf
30 cl de citronnade non gazeuse
{Minute Maid, Andros}
5 cuillerées à soupe de sucre
20 cl d'huile pour friture
1 assiette de chapelure
1 assiette de Maïzena + 3 cuillerées à café délayées
dans une même quantité d'eau
{pour la finition de la sauce}
Sel, poivre du moulin

THÉS
Thés blancs, thés verts,
thés jaunes

L'ACCORD PARFAIT
Yin zhen {aiguilles d'argent}
au jasmin

Difficulté *
Pour 4 personnes
Préparation : 25 minutes
Cuisson : de 6 à 10 minutes

USTENSILES SPÉCIAUX
1 wok ou une poêle
en fonte, 1 maillet,
1 paire de baguettes
de cuisine

À l'aide d'un maillet, aplatissez les blancs de poulet en escalopes d'épaisseur régulière. Coupez chaque blanc en 3 ou 4 morceaux. Salez-les et poivrez-les légèrement.

Battez l'œuf dans un bol. Coupez le citron en deux, coupez-en 2 ou 3 fines tranches pour le service, et pressez le reste. Filtrez le jus.

Dans une petite casserole, versez la citronnade, le jus de citron et le sucre. Portez à ébullition et faites cuire sur feu doux afin que le liquide réduise de moitié pendant la cuisson du poulet.

Dans un wok, faites chauffer l'huile pour friture. Pendant ce temps, enrobez soigneusement les blancs de poulet de Maïzena. Tapotez pour éliminer l'excédent, puis, à l'aide de baguettes, passez-les dans l'œuf battu. Enrobez-les soigneusement de chapelure. Quand l'huile commence juste à fumer, faites frire les morceaux de poulet 3 ou 4 minutes sur chaque face, jusqu'à ce qu'ils soient bien dorés. N'encombrez pas trop le récipient de cuisson : procédez à la friture en plusieurs fois si nécessaire. Déposez le poulet sur du papier absorbant à mesure qu'il est frit.

Taillez le poulet en bouchées et disposez-les sur un plat de service.

Lorsque la sauce au citron est réduite de moitié, ajoutez-y la Maïzena délayée en fouettant rapidement. Versez cette sauce sur le poulet, garnissez de tranches de citron, servez chaud.

UN CLASSIQUE DES RESTAURANTS CHINOIS DANS LE MONDE. CETTE VERSION EST MOINS EXCESSIVEMENT SUCRÉE. LE PARFUM ET LA LÉGÈRE ACIDITÉ DU THÉ *YIN ZHEN* AU JASMIN NOUENT UN ACCORD IDÉAL AVEC LE CITRON.

Gâteau de navet lopako

250 g de radis blanc japonais {*daikon*} épluché
2 shiitake séchés {champignons parfumés chinois}
60 g de jambon sec {Bayonne, Auvergne, etc.}
60 g de crevettes séchées
250 g de farine de riz {amidon de riz, *rice flour* ou *rice starch*}
1 saucisse chinoise {dans tous les magasins asiatiques}
2 gousses d'ail
1/2 cuillerée à soupe de sucre
Huile
Sel, poivre du moulin

Râpez le radis et faites-le cuire 30 minutes sur feu doux avec 10 cl d'eau, un peu d'huile, sel et poivre. Égouttez-le dans une passoire en le pressant pour éliminer toute humidité, laissez tiédir.

Pendant la cuisson du radis, faites tremper les champignons et les crevettes environ 20 minutes dans de l'eau chaude. Quand ils sont assouplis, égouttez-les, retirez le pied des champignons et déposez-les dans le bol d'un robot. Ajoutez le jambon émincé, la saucisse en tranches et l'ail épluché. Hachez finement le tout, ajoutez le sucre, puis faites dorer ce mélange à la poêle dans un peu d'huile pendant quelques minutes, jusqu'à ce qu'il sente bon et soit bien rissolé. Ajoutez le radis égoutté, faites revenir encore quelques instants puis retirez du feu.

Mélangez la farine de riz avec 20 cl d'eau, ajoutez la préparation précédente, mélangez avec soin. Huilez un moule à cake et versez-y la préparation. Enveloppez le moule entier d'une feuille d'aluminium et faites cuire 1 heure à la vapeur {ou au bain-marie, au four à 200 °C}.

Laissez complètement refroidir avant de découper en carrés ou en rectangles, et faites-les dorer sur les deux faces dans un peu d'huile.

THÉS
Long jing, oolong peu fermenté

L'ACCORD PARFAIT
Oolong *pouchong* de Taiwan

Difficulté *
Pour 6 personnes
Préparation : 30 minutes
Cuisson : 1 h 30

USTENSILES SPÉCIAUX
râpe, robot, moule à cake

Travers de porc à la sauce de prune

IL EXISTE PRINCIPALEMENT DEUX RECETTES CANTONAISES DE TRAVERS DE PORC À LA VAPEUR : AUX HARICOTS NOIRS FERMENTÉS OU À LA SAUCE DE PRUNE. COMME VOUS TROUVEREZ PLUS FACILEMENT LA PREMIÈRE VERSION EN RESTAURANT, JE VOUS DONNE LA SECONDE, MOINS CONNUE. NE DIMINUEZ PAS LA QUANTITÉ DE SUCRE : ELLE GARANTIT LA SAVEUR ET LE MOELLEUX.

500 g de travers de jeune porc, découpés {voir recette}

4 gousses d'ail

1 noix de gingembre {3 cm environ}

1 petit chili rouge frais

1/2 cuillerée à café de sel fin

1 cuillerée à café rase de poivre blanc du moulin

2 cuillerées à café de Maïzena

1 bocal de sauce de prune {*Plum Sauce*}

LA MARINADE LIQUIDE

2 cuillerées à café de sauce de soja légère {*Light Soy Sauce*}

2 cuillerées à café de vin de riz de Shaoxing

2 cuillerées à café d'huile de sésame grillé

4 cuillerées à café de sucre semoule

THÉS
Tous les pu-erhs,
oolongs fermentés

L'ACCORD PARFAIT
Pu-erh cuit

Difficulté *
Pour 4 personnes
Préparation : 20 minutes
Marinade : 30 minutes
Cuisson : 25 minutes

USTENSILES SPÉCIAUX
un wok muni
d'un panier en bambou
ou un cuit-vapeur

Choisissez ou commandez des travers de porc provenant d'un animal jeune. Les os doivent être le plus fins possible. Faites découper les travers par votre boucher en morceaux de 3 cm environ. Retirez les plus gros os. Mettez les travers dans un grand bol.

Épluchez et écrasez l'ail. Épluchez le gingembre et râpez-le finement. Coupez le chili en tranches. Mélangez les ingrédients de la marinade liquide.

Dans un grand bol, réunissez les travers, l'ail, le gingembre, le chili, le sel, le poivre et la Maïzena. Mélangez avec vos mains afin de bien imprégner la viande. Ajoutez la marinade liquide, mélangez soigneusement et laissez mariner 30 minutes à température ambiante. Au bout de ce temps, ajoutez 3 grosses cuillerées à soupe de sauce de prune et mélangez bien.

Versez la préparation dans un grand plat creux pouvant tenir dans le panier d'un cuit-vapeur contenant de l'eau. Autre solution, si vous avez un grand wok et un panier à vapeur en bambou, versez de l'eau dans le wok, posez le panier au-dessus de l'eau, déposez-y le plat, posez le couvercle.

Portez l'eau à frémissement et faites cuire 30 minutes. Retirez le plat avec précaution et portez-le à table.

Tofu au sirop de gingembre
Doufu fa

1 sachet de préparation en poudre pour tofu
{dans les épiceries japonaises}
100 g de cassonade ou de sucre muscovado
1 petite noix de gingembre épluchée

THÉS
Oolongs fermentés

L'ACCORD PARFAIT
Rou gui, shui xian

Difficulté *
Préparation : 5 minutes
Repos : 20 minutes
Cuisson : 5 minutes

Préparez le tofu selon les instructions figurant sur l'emballage. La préparation se compose de deux sachets, un grand et un petit. Dans une casserole, à l'aide d'un fouet, délayez le contenu du grand sachet dans 70 cl d'eau. Portez à ébullition et faites cuire 3 minutes à gros bouillons, sans cesser de fouetter. Ajoutez le contenu du petit sachet {le coagulant}, fouettez quelques secondes hors du feu et versez immédiatement la préparation dans 6 bols. Laissez prendre pendant 20 minutes.

Pendant ce temps, préparez le sirop : râpez finement le gingembre. Faites fondre la cassonade avec 10 cl d'eau, ajoutez le gingembre, portez à ébullition et faites cuire 5 minutes sur feu doux, ou à consistance sirupeuse.

Servez tiède ou froid, en versant sur chaque bol 2 cuillerées à soupe de sirop.

Crème de lait au gingembre
Zhuang nai

150 g de gingembre « vieux »
50 cl de lait cru entier
2 cuillerées à soupe de sucre

THÉS
Tous les thés

L'ACCORD PARFAIT
Long jing de printemps,
da hong pao de Wuyi

Difficulté *
Pour 4 personnes
Préparation : 10 minutes
Repos : 3 minutes

USTENSILES SPÉCIAUX
une râpe de type Microplane
ou un robot, 1 passoire très
fine, 2 grandes casseroles
bien propres, 4 bols chinois
en porcelaine, 4 cuillères
chinoises en porcelaine

Pelez le gingembre en vous aidant d'une petite cuillère afin de bien retirer la peau dans tous les coins. Rincez rapidement le gingembre et séchez-le. Râpez-le finement dans un bol {ou hachez-le dans un robot le plus finement possible}. Recueillez tout le gingembre râpé dans la passoire fine et pressez-le au-dessus d'un autre bol avec les doigts, en extrayant le maximum de jus. Jetez le résidu. Répartissez le jus de gingembre dans 4 bols en porcelaine ; il doit y avoir de 1 à 2 cuillerées à soupe de jus dans chaque bol, plus ou moins selon votre goût.

Faites chauffer le lait dans une des casseroles jusqu'à ce qu'il commence à fumer {ne le laissez pas bouillir}. Ajoutez le sucre, mélangez rapidement, puis, sans attendre, versez le lait dans la seconde casserole en élevant la première casserole le plus haut possible {si cela peut vous aider, c'est le geste des serveurs de thé à la menthe}. Et c'est là que vous comprenez pourquoi j'ai précisé « deux grandes casseroles ». Recommencez neuf fois : le lait doit passer en tout dix fois d'une casserole à l'autre. Bien qu'il soit très gratifiant de réaliser cette recette en présence d'un public étonné, ne vous laissez surtout pas distraire pendant que vous procédez au transvasement.

Versez immédiatement le lait dans les bols contenant le jus de gingembre, puis ne touchez plus aux bols. Au bout de deux ou trois minutes, le lait doit coaguler. Servez avec les cuillères en porcelaine.

CE DESSERT ÉTONNAMMENT SIMPLE APPARTIENT À LA CATÉGORIE « ÉPATEZ VOS AMIS ». VOUS POUVEZ MÊME LE RÉALISER DEVANT EUX : ILS N'AURONT PAS FINI D'EN PARLER. LA COAGULATION DU LAIT, SOUS L'EFFET DE LA FÉCULE DE GINGEMBRE, TIENT DU MIRACLE CULINAIRE. SUIVEZ SCRUPULEUSEMENT LA RECETTE ET TOUT IRA BIEN.

Soupe d'orange à l'anis étoilé

3 oranges non traitées
40 cl d'eau
150 g de sucre
3 anis étoilés
1 tranche de gingembre frais
2 cuillerées à soupe de Maïzena
1 cerise confite
1 petit morceau d'angélique confite

Faites bouillir le sucre et l'eau dans une casserole avec le gingembre et l'anis étoilé. Ajoutez le jus de 2 oranges et laissez bouillir doucement 5 minutes.

Coupez la troisième orange en très fines tranches et ajoutez-les au sirop. Laissez cuire doucement 20 minutes.

Délayez la Maïzena dans un peu d'eau, ajoutez-la, laissez cuire sur feu doux jusqu'à épaississement. Versez dans des bols.

Hachez finement la cerise confite et l'angélique, déposez-en une pincée sur la soupe. Servez chaud.

THÉS
Oolongs de Wuyi, keemun, lapsang souchong

L'ACCORD PARFAIT
Rou gui de Wuyi

Difficulté **
Pour 4 personnes
Préparation : 10 minutes
Cuisson : 25 minutes

Soupe de tapioca à la mangue
et au lait de coco

80 g de petites perles de tapioca {perles du Japon}
50 g de sucre
1 cuillerée à soupe de Maïzena
1 grosse mangue bien mûre
25 cl de lait de coco
50 cl de nectar de mangue
25 cl d'eau bouillie et refroidie

THÉS
Thés verts, oolongs

L'ACCORD PARFAIT
Dan cong

Difficulté *
Pour 4 à 6 personnes

Préparation : 20 minutes
Cuisson et repos du tapioca :
environ 30 minutes
Repos au frais :
au moins 1 heure

Portez à ébullition 1 litre d'eau dans une casserole et ajoutez le tapioca en remuant. Portez de nouveau à ébullition, retirez du feu, couvrez et laissez reposer 20 minutes. Ce temps écoulé, remuez le tapioca, portez de nouveau à ébullition, retirez du feu, couvrez et laissez reposer 10 minutes. Le tapioca doit être cuit. Égouttez-le et rincez-le dans de l'eau froide ; égouttez de nouveau. Réservez.

Faites bouillir 25 cl d'eau avec le sucre ; ajoutez la Maïzena diluée dans 3 cuillerées à soupe d'eau, mélangez bien et faites cuire sur feu doux en tournant jusqu'à épaississement. Retirez du feu et laissez refroidir.

Épluchez la mangue et coupez la chair en cubes de 2 cm environ. Mixez les chutes de mangue avec le lait de coco. Ajoutez le nectar de mangue, la chair de mangue, le lait de coco et le sirop.

Remuez le tapioca avec les doigts pour décoller les grains et ajoutez-les au mélange précédent. Si le dessert vous paraît trop épais, ajoutez un peu d'eau ou de lait de coco. Laissez rafraîchir au réfrigérateur et servez frais.

SUIVEZ BIEN LA MÉTHODE QUE JE VOUS INDIQUE POUR CUIRE LES PERLES DE TAPIOCA : ELLE VOUS DONNERA DES GRAINS FERMES ET PARFAITEMENT CUITS.

L'Asie
{Birmanie, Viêt-nam, Thaïlande, Indonésie et Malaisie}
du Sud-Est

L'Asie du Sud-Est a pu naître le théier. L'origine de cet arbre se situe en effet dans la partie orientale de l'Himalaya, là où la Chine, l'Inde et la Birmanie se rejoignent. Pourtant, les cultures du thé de cette région du monde n'ont rien d'homogène, à l'image de la mosaïque de pays, de péninsules et d'archipels qui la constituent. Par endroits, le thé est une tradition si ancienne que les récoltes se font, comme en Chine méridionale, sur les hautes branches d'arbres pluricentenaires. Ailleurs, le thé est un apport de l'époque coloniale et en porte clairement les marques. Aborder des pays si divers n'est pas facile ; mieux vaut procéder de l'un à l'autre.

L'Asie du Sud-Est

Birmanie

Le thé, en Birmanie, se mange autant qu'il se boit. Le mets national appelé *lahpet* est une salade de feuilles de thé fermentées dans des fûts de bambou. Il en existe plusieurs recettes, du *lahpet* de Mandalay aromatisé à l'huile de sésame et servi avec divers accompagnements {crevettes séchées, arachides, ail frit, gingembre, noix de coco râpée et frite, etc.} à celui de Rangoon, servi avec des légumes frais et une vinaigrette à base de sauce de poisson, d'huile de sésame et de jus de citron vert. Réputé pour ses qualités stimulantes et digestives, le *lahpet* est déposé en offrande aux esprits et présenté en aumône aux moines.

Le thé est cultivé dans le nord du pays. Environ soixante pour cent des récoltes consistent en thé vert à boire, vingt pour cent en thé rouge, et le reste est fermenté pour le *lahpet*.

En tant que boisson, le thé vert est le plus populaire, mais sous l'influence d'immigrants indiens, le thé rouge additionné de lait concentré s'est également imposé.

Viêt-nam

Au Viêt-nam aussi, le thé a une longue histoire. Quelque peu délaissée pendant quelques décennies, sa culture connaît une renaissance, tant pour la consommation domestique que pour le marché extérieur {en particulier russe}. On apprécie les thés rouges d'Annam et les crus des régions montagneuses du Nord, où les thés — verts, rouges, blancs et même pu-erhs — y rappellent ceux du Yunnan, ce qui n'a rien d'étonnant puisque les deux régions, séparées par une frontière, ont des traditions et des cultures communes. Comme en Chine, il arrive que les feuilles soient récoltées en hauteur, sur des arbres anciens.

On apprécie au Viêt-nam le thé vert fortement infusé ou le thé rouge, sans lait ni sucre. Les thés aromatisés {au jasmin, au lotus, au magnolia} sont très populaires. Bien entendu, comme ailleurs en Asie, le thé joue un grand rôle dans la vie sociale. Servi tout au long de la journée, il accompagne les repas. Le thé au lait vietnamien ou laotien est un thé rouge servi chaud ou glacé dans un verre avec une bonne rasade de lait concentré sucré ; le buveur réalise son mélange dans le verre, avec une cuillère ou une paille.

Thaïlande

Si des théiers sont cultivés en Thaïlande, le thé indigène n'est pas spécialement réputé. Une bonne partie du thé consommé au royaume de Siam est importée, soit de Chine — principalement pour la communauté chinoise, qui affiche une nette préférence pour les thés oolongs de Wuyi —, soit du domaine mal délimité de la mondialisation liptonienne. Vous trouverez en effet en Thaïlande, plus souvent qu'il n'est décent, les célèbres petites pochettes jaunes. Pourtant, en Asie, on a le secret pour sublimer les choses les plus ordinaires. Et de thés rouges sans grande personnalité, les Thaïlandais ont su tirer le meilleur en créant leur fameux *cha yen*, leur thé glacé {recette ci-après}.

Le *cha yen* est infusé avec quelques épices discrètes. Quelques gouttes de colorants alimentaires rouge et jaune donnent à la boisson son éclat

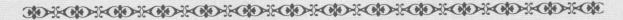

orangé, et le lait concentré sucré lui confère son aspect opaque. On verse le lait juste avant de servir et on ne mélange pas, c'est le buveur qui s'en charge. Le tout est servi sur de la glace pilée, avec une paille, dans de grands verres tulipes. Parfois, comme dans le *bubble tea* taïwanais, on ajoute de petites billes de tapioca. Il existe des variantes glacées sans lait, avec ou sans jus de citron vert.

Il ne faudrait pas croire que la Thaïlande, qui ne subit jamais le joug colonial, se soit privée pour autant des raffinements du thé à l'anglaise. L'existence de services à thé à l'occidentale de style *benjarong* — porcelaine à motifs dorés de la cour royale thaïe que vous pouvez voir sur les photographies de ce chapitre — témoigne de la pénétration de cet usage au XIXᵉ siècle dans la société aristocratique, sans doute sous l'influence des négociants britanniques. Mais que mangeait-on avec ce *five o'clock* des palais siamois ? Pas besoin de chercher loin : l'inépuisable gamme des douceurs et pâtisseries thaïes d'influence portugaise, à base de jaunes d'œufs, de sucre et de lait de coco, tendait les bras. Cependant, il existe en cuisine thaïe une catégorie de petits plats appelés *krueng wang,* servis entre les repas pour tromper la faim. Ces *krueng wang* trouvèrent tout naturellement leur place dans les thés chics d'après-midi. Ils sont ce que la Thaïlande a de plus proche d'une cuisine du thé.

Indonésie et Malaisie

Les premières plantations de thé indonésiennes furent établies au début du XVIIIᵉ siècle par les colons hollandais, d'abord sur l'île de Java, plus tard sur Sumatra et aux Célèbes. Selon l'île et la région, on vous servira le thé vert ou rouge, avec ou sans lait

ou sucre. Sur l'île de Sumatra, où la culture du thé est bien vivante, le thé rouge est servi le matin dans les *pondok kopi* {« huttes de café »}. Si l'on désire une boisson reconstituante, la patronne préparera un *teh telur* — un thé à l'œuf {recette page 90}.

La Malaisie et Singapour s'adonnent au thé rouge additionné de lait condensé sucré ou non sucré {*teh see* ou *teh C*. Le C n'est autre que l'initiale de Carnation, célèbre marque de laits en conserve}. Leur spécialité la plus illustre est le *teh tarik* {« thé tiré »}, servi dans tous les restaurants, cafés {*kopitiam*}, *food courts* ou buvettes. Similaire au *chai*, il est d'origine indienne {voir pages 110 et 113}.

Un bon *teh tarik* se base sur une forte infusion de thé rouge d'origine malaise, à laquelle on ajoute un savant dosage de lait concentré sucré et non sucré. Ce mélange assure au breuvage une texture crémeuse. Le liquide bouillant est transvasé rapidement d'un récipient à l'autre en levant haut le bras, exercice acrobatique demandant une pratique experte. Cette opération a pour but de mélanger le mieux possible le lait et le thé en les faisant mousser et en oxygénant le liquide, ce qui affine le goût. Le *teh tarik* est en général assez sucré pour coller la langue au palais ; parfois, on le parfume avec un peu d'eau de gingembre. Il accompagne les plats du matin et du déjeuner : *roti* {galettes beurrées} et curries, *appam* {crêpes à la farine de riz} et chutney de noix de coco ; ou même, dans les *kopitiam*, pain, beurre, confiture de noix de coco {*kaya*} et œufs mollets. Plus tard, dans l'après-midi, l'influence chinoise prend le pas sur l'indienne : thé vert ou oolong sont servis avec *dim sum*, nouilles sautées, soupes aux raviolis et délices de la cuisine sino-malaise appelée *nonya*.

Thé glacé thaïlandais
Cha yen

 THAÏLANDE

Pour environ 1,2 litre

1 litre d'eau de source
2 anis étoilés
1 cuillerée à café de fleurs d'oranger séchées
{facultatif, ou remplacez par quelques gouttes d'eau
de fleur d'oranger}
1/4 de gousse de vanille
2 clous de girofle
2 cm de bâtonnet de cannelle
3 cuillerées à soupe de thé rouge de Chine
{Keemun, Yunnan}
60 à 100 g de sucre {selon votre goût}
25 cl de lait concentré non sucré
2 gouttes de colorant alimentaire rouge {facultatif}
Glace pilée

Portez l'eau à ébullition. Ajoutez les épices et les fleurs d'oranger, laissez frémir quelques instants. Ajoutez les feuilles de thé et laissez frémir 5 minutes sans cesser de remuer. Retirez du feu, laissez tiédir.

Filtrez à travers une passoire fine et ajoutez le sucre ainsi que le colorant alimentaire, si vous l'utilisez. Laissez refroidir complètement.

Déposez de la glace pilée à mi-hauteur de grands verres, et versez le thé sur la glace. Ajoutez le lait concentré et une paille. Servez.

LA DIVERSITÉ CULTURELLE ET CULI-
NAIRE DE L'ASIE DU SUD-EST AUTORISE
UNE GRANDE VARIÉTÉ DE THÉS AVEC
CES PLATS. NE VOUS ÉTONNEZ PAS DE
L'ÉCLECTISME DE LA SÉLECTION.

Teh telur de Sumatra
Thé à l'œuf

Par personne
Préparation : 10 minutes
Ustensiles spéciaux : un petit fouet électrique
pour cappucino, ou un petit fouet à main

1 œuf
2 cuillerées à soupe de sucre
25 cl de thé rouge bouillant
lait concentré non sucré

Préparez un thé rouge assez fort et laissez-le infuser.

Tant qu'il est très chaud, cassez un œuf dans
un grand verre. Ajoutez le sucre.
À l'aide du petit fouet électrique ou d'un fouet à main
roulé entre les paumes, fouettez rapidement l'œuf
et le sucre jusqu'à obtention d'un mélange épais
et mousseux.

Versez le thé très chaud à mi-hauteur du verre et
fouettez encore un peu pour bien mélanger.
Terminez en ajoutant du lait concentré à votre goût.

THAÏLANDE

Galettes de poisson
Tod man pla

Mélangez les ingrédients de la sauce {sans les cacahuètes} et gardez celle-ci au frais. Retirez, à l'aide d'une pince à épiler, toute arête restant dans les filets de poisson. Placez les filets dans le bol d'un robot avec la pâte de curry, les œufs et 1 cuillerée à soupe de sauce de poisson. Mixez en une pâte très fine et débarrassez celle-ci dans un grand saladier. Pétrissez-la avec vos mains pendant assez longtemps {3-4 minutes environ} ; la pâte doit acquérir du corps et devenir élastique. Goûtez et ajustez la quantité de sauce de poisson, qui dépend du degré d'humidité de votre poisson. Si la pâte risque de devenir trop liquide, ajoutez plutôt du sel. Pétrissez encore un peu. Déchirez les feuilles de *makrut* pour retirer la nervure centrale, puis émincez les feuilles en fins filaments. Taillez les haricots verts en tranches de 3 mm environ. Ajoutez le tout à la farce et mélangez encore un peu.

Faites chauffer l'huile pour la friture. Quand elle commence à fumer, prenez l'équivalent d'une bonne cuillerée à soupe de farce entre vos mains mouillées et aplatissez-la en une galette ovale de 2 cm d'épaisseur environ. Déposez-la dans l'huile chaude et confectionnez encore deux ou trois galettes. Faites-les frire jusqu'à ce qu'elles soient bien dorées sur les deux faces ; procédez ainsi avec le reste de la farce. Égouttez les galettes sur du papier absorbant. Servez avec la sauce *ajaad,* saupoudré des cacahuètes hachées.

CES GALETTES DE POISSON SONT FACILES À PRÉPARER, MAIS LE SUC-CÈS DÉPEND D'UN ÉQUILIBRE : LA TEXTURE DOIT ÊTRE LÉGÈREMENT CAOUTCHOUTEUSE, CE QUI EST ASSURÉ PAR UN LONG PÉTRISSAGE DE LA FARCE À LA MAIN. LE GOÛT DOIT ÊTRE SALÉ SANS EXCÈS, ÉPICÉ SANS ÊTRE PIQUANT.

500 g de filets de merlan
2 cuillerées à soupe de pâte de curry rouge {voir recette des boulettes de bœuf, page 97}
3 œufs
Sauce de poisson {*nam pla*} à volonté
100 g de haricots verts extra-fins, épluchés et lavés
4 feuilles de citron *makrut* {*kaffir*, voir page 98 la recette du *hor mok pla*}
Huile pour friture
Sel

LA SAUCE AJAAD
5 cuillerées à soupe de vinaigre de riz
110 g de sucre
1 cuillerée à soupe de sauce de poisson
1/2 concombre pelé et finement émincé
2 échalotes finement émincées
1 petit chili rouge frais, débarrassé de ses graines et émincé
1 cuillerée à soupe de coriandre fraîche hachée
2 ou 3 cuillerées à soupe de cacahuètes grillées finement hachées

THÉS
Tous thés verts

L'ACCORD PARFAIT
Gyôkuro japonais

Pour 4 à 6 personnes
Préparation : 20 minutes
Cuisson : 10-15 minutes

USTENSILES SPÉCIAUX
pince à épiler, robot ou mixeur, bassine à friture ou friteuse

Poulet mariné au chili

4 cuisses de poulet {avec hauts de cuisse}

1 cuillerée à café de curcuma

1 cuillerée à café de sel

6 gousses d'ail finement hachées {2 ou 3 cuillerées à soupe hachées}

1 noisette de gingembre frais finement râpée

1 cuillerée à soupe de sauce de soja légère {light soy sauce}

1 cuillerée à soupe de sauce de poisson {nam pla}

2 jaunes d'œufs

100 g de farine

35 cl d'huile végétale

4 cuillerées à soupe de sucre

6 piments rouges séchés

1 bouquet de coriandre fraîche, lavé et séché

2 cuillerées à soupe de vinaigre blanc

THÉS
Thé vert *long jing* ou
bi luo chun

L'ACCORD PARFAIT
Thé vert vietnamien au lotus

Pour 4 personnes
Préparation : 20 minutes
Trempage : 20 minutes
Cuisson : 22 minutes

Séparez les cuisses de poulet des hauts de cuisse et désossez le tout sans retirer la peau {si nécessaire, faites exécuter cette tâche par votre volailler}.

Mélangez le curcuma, le sel, la moitié de l'ail, le gingembre, la sauce de soja, la sauce de poisson et les jaunes d'œufs. Enduisez le poulet de cette marinade, couvrez de film étirable et gardez 1 heure au réfrigérateur.

Au bout de ce temps, farinez soigneusement le poulet sur toutes ses faces et gardez-le encore 3 heures au réfrigérateur. À ce stade, vous pouvez le faire mariner pour le lendemain. Veillez seulement à le retirer du réfrigérateur 1 heure avant de préparer le plat.

Faites chauffer une petite poêle. Faites-y torréfier légèrement les piments rouges séchés jusqu'à ce qu'ils gonflent et dégagent leur odeur. Retirez le pédoncule et secouez les piments pour éliminer les graines. Écrasez les piments en poudre grossière. Effeuillez la coriandre et hachez-la grossièrement.

Faites chauffer l'huile dans une poêle en fonte. Dès qu'elle se prépare à fumer, faites-y frire le poulet 5 minutes de chaque côté ou jusqu'à ce qu'il soit parfaitement doré. Déposez-le sur du papier absorbant.

Éliminez presque toute l'huile de la poêle et posez celle-ci sur feu doux. Ajoutez le sucre et le reste d'ail ; faites frire doucement en remuant jusqu'à ce que le sucre prenne couleur. Ajoutez le piment écrasé, remuez quelques instants. Ajoutez le poulet, les deux tiers de la coriandre et le vinaigre. Mélangez bien afin d'enrober le poulet de sauce. Découpez en bouchées et servez immédiatement, garni du reste de coriandre.

POUR VOUS FACILITER LA VIE, VOUS POUVEZ FAIRE MARINER LE POULET LA VEILLE AU FRAIS. DANS CE CAS, METTEZ TOUT, MARINADE ET POULET, DANS UN SAC DE CONGÉLATION À GLISSIÈRE.

Calmars farcis

4 blancs de calmar moyens bien nettoyés, ou 8 petits / 3 shiitake séchés {champignons parfumés} / 15 g de vermicelles transparents {ce sont des vermicelles de haricot mung, comme dans les nems} / 225 g de porc haché / 2 échalotes / 3 gousses d'ail / 1 cuillerée à soupe de nuoc-mâm ou de sauce de poisson thaïlandaise / 1/2 cuillerée à café de sucre / huile végétale / Feuilles de laitue, pluches de coriandre, brins de menthe fraîche / Sel, poivre du moulin • LA SAUCE NUOC-CHAM : pour 25 cl : 3 gousses d'ail taillées en fines tranches / 2 petits chilis rouges frais, débarrassés de leurs graines et émincés / 50 g de sucre / le jus de 1 citron vert / 1 cuillerée à café de vinaigre de riz / 6 cl de nuoc-mâm ou de sauce de poisson thaïlandaise / 6 cl d'eau

THÉS
Oolong de Wu Yi,
thé rouge vietnamien au lait

L'ACCORD PARFAIT
Oolong *rou gui*

Pour 4 personnes
Préparation : 20 minutes
Trempage : 20 minutes
Cuisson : 22 minutes

Mélangez les ingrédients de la sauce et gardez au frais.

Faites tremper les champignons 20 minutes dans de l'eau chaude, puis égouttez-les, retirez le pied et émincez-les finement.

Faites tremper les vermicelles transparents 20 minutes dans de l'eau chaude, puis égouttez-les et hachez-les au couteau.

Hachez finement l'ail et les échalotes.

Mélangez soigneusement le porc haché, les champignons, les vermicelles, l'ail, les échalotes, la sauce de poisson, le sucre, le sel et le poivre. Farcissez les calmars de ce mélange aux trois quarts de leur capacité, puis fermez l'ouverture avec un cure-dents.

Dans une grande poêle, faites chauffer un peu d'huile. Faites-y dorer les calmars farcis pendant 7 minutes. Percez chaque calmar avec une aiguille pour évacuer l'excès de liquide, puis continuez la cuisson pendant 10 à 15 minutes sur feu doux, en retournant les calmars de temps en temps.

Retirez les cure-dents, tranchez les calmars en biais et présentez-les sur un plat sur un lit de laitue avec la menthe, la coriandre et la sauce *nuoc-cham*.

THAÏLANDE

Boulettes de bœuf
en curry *panaeng*

300 g de bœuf haché / 3 gousses d'ail finement hachées / 1 cuillerée à café de poivre blanc du moulin / 1 cuillerée à café de sel / 50 g de farine de riz / Huile végétale • LA SAUCE : 70 g de cacahuètes grillées / 4 gousses d'ail finement hachées / 2 cuillerées à soupe de pâte de curry *panaeng* ou de pâte de curry rouge / 25 cl de crème de coco, prélevée à la surface d'une boîte de lait de coco {gardez le lait} / 2 cuillerées à soupe de sauce de poisson thaïlandaise {*nam pla*} / 1 cuillerée à soupe de sucre de palme ou de cassonade / Feuilles de menthe fraîche et de coriandre

Hachez les cacahuètes dans un petit mixeur. Prélevez-en 2 cuillerées à soupe pour la garniture finale et mixez finement le reste.

Mélangez soigneusement la viande hachée, l'ail, le sel et le poivre. Façonnez le tout en boulettes de 2,5 cm de diamètre, roulez-les dans la farine de riz et réservez-les sur un plateau.

Faites chauffer un peu d'huile dans une sauteuse. Faites-y dorer l'ail quelques instants et ajoutez les boulettes. Faites frire celles-ci en les colorant sur toutes leurs faces. Retirez-les et réservez-les sur un plat.

Dans la même sauteuse, faites fondre le tiers de la crème de coco jusqu'à ce que l'huile s'en sépare. Ajoutez la pâte de curry et faites-la frire sur feu doux en remuant souvent, jusqu'à ce que vous voyiez de nouveau l'huile se séparer de la masse. Ajoutez un autre tiers de la crème de coco et procédez de la même façon. Ajoutez le dernier tiers de crème de coco. Quand l'huile apparaît de nouveau, ajoutez la sauce de poisson, la pâte de cacahuète, le sucre et les boulettes. Mélangez bien jusqu'à ce que la sauce soit homogène. Si elle est trop épaisse, ajoutez du lait de coco de la boîte. Couvrez et laissez mijoter sur feu doux pendant 20 minutes, en remuant de temps à autre.

Servez garni de menthe et de coriandre ciselées, avec du riz blanc.

THÉS
Thés rouges chinois

L'ACCORD PARFAIT
Thé thaïlandais glacé au citron vert

Pour 4 personnes
Préparation : 20 minutes
Cuisson : 40 minutes

USTENSILES SPÉCIAUX
un petit mixeur

THAÏLANDE

Mousse de poisson à la vapeur
Hor mok pla

2 boîtes de lait de coco {450 g chacune}
3 ou 4 cuillerées à soupe rases de pâte de curry rouge thaïlandaise
sauce de poisson {*nam pla*} à volonté
2 cuillerées à café de sucre de palme ou de cassonade
400 g de filets de poisson blanc
150 g de noix de saint-jacques avec leur corail
5 feuilles de citronnier *makrut* {citron kaffir}
les feuilles de 6 branches de basilic thaï
1 piment rouge de 6 cm de longueur, pour le décor
2 cuillerées à soupe de farine de riz ou de blé
3 œufs battus

THÉS
Thé vert *long jing*,
thé oolong peu fermenté
{*dan cong, tieguanyin*}

L'ACCORD PARFAIT
Thé blanc *yin zhen* au jasmin

Pour 4 personnes
Préparation : 30 minutes
Cuisson : 15 minutes

USTENSILES SPÉCIAUX
un cuit-vapeur

Ouvrez les boîtes de lait de coco sans les agiter et recueillez la crème qui se trouve à la surface. Faites chauffer 15 cl de crème de coco dans une casserole. Faites-la réduire jusqu'à ce que l'huile se sépare de la masse. Ajoutez la pâte de curry et faites-la frire en remuant avec une spatule pendant 5 minutes ; le mélange doit sentir bon. Ajoutez le reste de crème de coco {gardez-en 20 cl}, le sucre de palme et la sauce de poisson. Goûtez : le curry doit être très relevé et salé, les autres ingrédients le dilueront. Retirez du feu et laissez tiédir.

Taillez les feuilles de *makrut* en fines lanières. Ciselez aussi le basilic en réservant 4 belles feuilles pour le service. Mélangez sur feu doux la farine avec les 20 cl de lait de coco liquide et remuez jusqu'à épaississement. Retirez du feu.

Hachez au couteau les filets de poisson et les corails ; coupez les noix de saint-jacques en cubes de 1 cm environ. Ajoutez la sauce au curry un tiers à la fois en remuant vigoureusement avec une spatule. Le mélange doit épaissir. Une fois toute la sauce absorbée, ajoutez les deux tiers des feuilles de *makrut*, le basilic émincé et les œufs battus. Répartissez ce mélange dans

THAÏLANDE

les coupes en feuille de bananier. Décorez d'une bonne cuillerée de crème de coco épaissie, puis d'une feuille de basilic et de quelques lanières de *makrut*, puis de quelques tranches ou lanières de piment rouge.

Faites cuire à forte vapeur pendant 15 minutes. Si vous n'avez pas assez de place dans votre récipient, mettez les flans à cuire en deux fois, mais ne superposez pas les paniers. Quand les *hor mok* sont cuits, retirez-les du récipient et présentez-les sur un plat. Servez chaud ou tiède.

EN THAÏLANDE, CE CURRY EST CUIT DANS DES COUPES EN FEUILLE DE BANANIER. SI VOUS TROUVEZ CES FEUILLES, ELLES DONNENT UN PARFUM SPÉCIAL. DÉCOUPEZ 12 DISQUES DE 15 CM DE DIAMÈTRE, LAVEZ-LES SANS LES DÉCHIRER, SÉCHEZ-LES ET SUPERPOSEZ-LES DEUX À DEUX EN PLAÇANT LES NERVURES DE L'UNE PERPENDICULAIREMENT À CELLES DE L'AUTRE {CE QUI ASSURE LA SOLIDITÉ DE L'ENSEMBLE}. PINCEZ LE BORD D'UN DISQUE ENTRE LE POUCE ET L'INDEX POUR FAIRE UN PLI DE 2 À 3 CM, RABATTEZ CE PLI SUR UN CÔTÉ ET AGRAFEZ-LE. PINCEZ À L'OPPOSÉ DE CE PLI, REPLIEZ DANS LA MÊME DIRECTION ET AGRAFEZ. FAITES DEUX AUTRES PLIS À ÉQUIDISTANCE DES DEUX PREMIERS ; VOUS OBTENEZ UNE PETITE COUPE À QUATRE CÔTÉS. AUTREMENT... SERVEZ-VOUS DE PETITS MOULES À SOUFFLÉ OU DE COUPES EN ALUMINIUM.

Satay d'agneau à l'ananas

LA SAUCE : 3 cuillerées à soupe de sauce de soja *kecap manis* / 1 cuillerée à soupe de jus de citron vert / 3 échalotes, finement râpées / 2 petits chilis verts frais, débarrassés de leurs graines et émincés / 1 cuillerée à café de zeste de citron vert râpé ● LE SATAY : 350 g de viande d'agneau maigre {gigot ou selle} découpée en cubes de 2 cm / 150 g de chair d'ananas frais / 3 cuillerées à soupe de sauce de soja *kecap manis* / 1 cuillerée à café de pâte de piment rouge / 2 cuillerées à soupe d'huile / 3 échalotes hachées / 1 tranche de galanga haché / Sel, poivre noir du moulin

Mélangez tous les ingrédients de la sauce et gardez-la au frais. Déposez l'ananas dans le bol d'un mixeur avec la sauce de soja, la pâte de piment, l'huile, les échalotes, le galanga, le sel et le poivre. Mixez en une pâte fine. Versez-la dans un bol et ajoutez les cubes d'agneau. Laissez mariner 1 heure à température ambiante. Vous pouvez aussi préparer ces ingrédients la veille et les laisser mariner jusqu'à 24 heures au réfrigérateur, dans un sac de congélation à glissière.

Faites chauffer un gril. Il peut s'agir d'un gril en fonte, d'un gril de four ou d'un barbecue. Enfilez les cubes d'agneau sur les brochettes en bambou, en réservant la marinade.

Faites griller les brochettes environ 3 minutes de chaque côté en les arrosant plusieurs fois avec la marinade.

Servez 2 brochettes par personne, accompagnées de la sauce.

THÉS
Thés rouges, oolongs

L'ACCORD PARFAIT
Teh see {thé rouge de Malaisie au lait concentré} ou *chai*

Pour 4 personnes
Préparation : 20 minutes
Marinade : 1 heure
Cuisson : 6 minutes

USTENSILES SPÉCIAUX
un robot ou un mixeur ;
8 brochettes en bambou,
trempées 30 minutes dans de
l'eau puis essuyées

LA SAUCE DE SOJA SUCRÉE {*KECAP MANIS*} EST TYPIQUEMENT INDONÉSIENNE. LE SUCRE DE PALME LUI DONNE UNE TEXTURE SIRUPEUSE. VOUS LA TROUVEREZ DANS LES MAGASINS ASIATIQUES OU MÊME EN GRANDES SURFACES, SOUS LA MARQUE AYAM. VOUS POUVEZ LA REMPLACER PAR DE LA SAUCE DE SOJA JAPONAISE ADDITIONNÉE DE SUCRE.

Flan de maïs au lait de coco

3 épis de maïs frais encore dans leurs feuilles
30 cl de crème de coco en brique
2 œufs
70 g de sucre
Quelques gouttes d'extrait de vanille
1 cuillerée à soupe de Maïzena

THÉS
Thé vert, thé blanc

L'ACCORD PARFAIT
Thé blanc *bai mudan*
de Zheng He

Difficulté *
Pour 12 carrés
Préparation : 20 minutes
Cuisson : 30 minutes

Retirez les feuilles et les barbes entourant les épis de maïs. Tenez un épi verticalement, tige vers le bas, et à l'aide d'un couteau tranchant, coupez les grains verticalement à la base en faisant tourner l'épi au fur et à mesure. Procédez de même avec le reste des épis. Vous devez obtenir environ 300 g de grains frais. Mixez-les très finement dans un robot jusqu'à obtenir une crème bien lisse. Ajoutez le lait de coco et passez le mélange à travers une passoire fine.

À l'aide d'un batteur électrique, fouettez les œufs avec le sucre et l'extrait de vanille. Ajoutez ce mélange à la crème de maïs et incorporez la Maïzena.

Versez cet appareil dans le moule et faites cuire 30 minutes à vapeur douce. Laissez refroidir et servez coupé en carrés ou en losanges.

USTENSILES SPÉCIAUX
un couteau tranchant ;
une passoire fine ;
un moule à manqué carré
de 14 cm de côté ou
un récipient rectangulaire
équivalent ; un batteur
ou un fouet électrique ;
un cuit-vapeur ou
un couscoussier

BIEN SÛR, VOUS POUVEZ UTILISER DU MAÏS EN BOÎTE, MAIS C'EST MOINS BON.

Bananes en chemise à la crème de coco

4 bananes d'Asie encore fermes, de la variété courte et épaisse {à chercher dans les magasins asiatiques et particulièrement sri-lankais} / quelques gouttes d'essence de pandan {bay toey} / 2 ou 3 gouttes de colorant alimentaire vert / 100 g de farine de riz {magasins asiatiques} / 2 cuillerées à soupe de farine de blé / 25 cl de lait de coco / 50 g de sucre • LA CRÈME DE COCO : 20 cl de lait de coco épais / 1 cuillerée à soupe de sucre / quelques gouttes d'extrait de vanille / 1 cuillerée à café de Maïzena

Faites cuire les bananes dans leur peau à la vapeur pendant 7 minutes. Laissez-les refroidir sur une assiette.

Dans une casserole, réunissez la farine de riz, la farine de blé, le lait de coco, l'essence de pandan, le colorant vert et le sucre. Faites cuire sur feu doux en tournant bien avec une spatule jusqu'à ce que la pâte se détache des bords de la casserole. Retirez du feu, renversez la pâte sur un plan de travail, laissez-la tiédir puis pétrissez-la jusqu'à ce qu'elle soit lisse et souple.

Divisez la pâte en quatre portions. Huilez une grande feuille d'aluminium. Déposez-y une portion de pâte et aplatissez-la en une couche oblongue régulière de 5 mm. Pelez une banane, posez-la au centre de la pâte et ramenez les bords de celle-ci autour du fruit pour bien l'enfermer. Ne laissez aucune ouverture. Reproduisez autant que possible la forme d'une banane dans sa peau. « Fabriquez » ainsi quatre bananes. Déposez-les sur une assiette légèrement huilée, et faites cuire 15 minutes à la vapeur.

Pendant ce temps, mélangez le sucre et la Maïzena. Ajoutez le lait de coco et l'extrait de vanille, et faites chauffer en fouettant doucement jusqu'à obtention d'une sauce crémeuse.

Servez chaque banane sur un petit plat creux, arrosée de crème de coco. Prévoyez couteaux et fourchettes à dessert : ces bananes se mangent découpées en tranches.

THÉS
Tous thés verts chinois ou vietnamiens

L'ACCORD PARFAIT
Bi luo chun

Difficulté ✱✱✱
Pour 4 personnes
Préparation : 30 minutes
Cuisson : 22 minutes

USTENSILES SPÉCIAUX
cuit-vapeur ou couscoussier

C'EST UN DESSERT KITSCH ET AMUSANT, UN PEU DÉLICAT À PRÉPARER, MAIS SI BEAU {ET SI BON} ! QUANT AU COLORANT VERT, C'EST VOUS QUI VOYEZ, MAIS IL DONNE L'ILLUSION QUE LES FRUITS SONT ENCORE DANS LEUR PEAU. POUR CELA, IL FAUT ÊTRE AUSSI UN PEU DOUÉ EN MODELAGE. SUJET : LA BANANE.

Petits gâteaux au durian

100 g de beurre mou / 2 cuillerées à soupe rases de sucre glace / 1 jaune d'œuf + 1 autre pour la dorure / 150 g de farine / 200 g {1 tube} de confit de durian thaïlandais

Dans un saladier, fouettez le beurre et le sucre glace en crème. Ajoutez le jaune d'œuf et continuez de battre jusqu'à obtention d'une crème légère. Avec une spatule en caoutchouc, incorporez la farine. Si la pâte vous semble trop ferme, ajoutez quelques gouttes d'eau froide. Préchauffez le four à 180°C {th. 6}.

Façonnez la pâte de durian en boulettes de 2 cm de diamètre environ. Prenez l'équivalent d'une cuillerée à soupe de pâte et roulez-la en boule, puis aplatissez-la dans votre paume et posez en son milieu une boulette de confit de durian. Ramenez les bords de la pâte autour de la boulette et enfermez celle-ci complètement. Roulez en boule légèrement ovale. Posez le petit gâteau sur une plaque garnie de papier sulfurisé, et procédez de même avec le reste de la pâte et du confit de durian.

Avec la pointe de vos ciseaux, faites de petites incisions sur toute la surface de chaque gâteau, toujours dans le même sens, afin de reproduire l'aspect d'un durian miniature {ou, si vous voulez, d'un hérisson}. Ne percez pas la pâte durant cette opération délicate mais amusante. Battez le second jaune d'œuf avec quelques gouttes d'eau et badigeonnez-en les gâteaux, mettez au four et faites cuire de 15 à 17 minutes, jusqu'à ce qu'ils soient bien dorés.

THÉS
Thé thaïlandais,
thé au lait vietnamien

L'ACCORD PARFAIT
Teh tarik

Difficulté **

Pour 18 à 20 petits gâteaux
Préparation : 35 minutes
Cuisson : 15-17 minutes

USTENSILES SPÉCIAUX
un batteur ou un fouet
électrique, une plaque
à pâtisserie, du papier
sulfurisé, une paire
de ciseaux à pointe fine

MAIS SI ! VOUS EN AVEZ ENTENDU PARLER : LE DURIAN, C'EST CET ÉNORME FRUIT ÉPINEUX ASIATIQUE À L'ODEUR ABOMINABLE. POUR VOUS ÉVITER DE MANIPULER LE DURIAN FRAIS, JE VOUS CONSEILLE D'ACHETER DU CONFIT DE DURIAN IMPORTÉ DE THAÏLANDE, CONDITIONNÉ EN CYLINDRES DE PLASTIQUE TRANSPARENT ET VENDU DANS LES MAGASINS ASIATIQUES. SI VOUS RÉALISEZ CES GÂTEAUX ADORABLES, VOUS DÉCOUVRIREZ QUE LE DURIAN « TRANSFORMÉ » EST MOINS OFFENSIF QU'À L'ÉTAT FRAIS. ILS SE CONSERVERONT QUELQUES SEMAINES DANS UNE BOÎTE À FERMETURE HERMÉTIQUE, SI VOUS LEUR EN LAISSEZ LE TEMPS.

Gâteaux malais au caramel

LE CARAMEL : 200 g de sucre / 10 cl d'eau • LES GÂTEAUX : 1 noix de coco mûre {contenant de l'eau} / 200 g de farine / 5 cuillerées à soupe de lait en poudre / 1 cuillerée à café rase de bicarbonate de soude / 2 cuillerées à soupe d'huile de noix de coco, de crème de coco ou de beurre fondu / 4 œufs / 6 cuillerées à soupe de sucre / 2 pincées de sel

THÉS
Thés rouges chinois, malais ou indonésiens

L'ACCORD PARFAIT
Thé glacé thaïlandais

Difficulté **
Pour une douzaine
de petits gâteaux
Préparation : 30 minutes
Cuisson : 10 minutes

USTENSILES SPÉCIAUX
une passoire fine pour tamiser la farine ; 12 petits moules à muffins ou moules bouchons pour babas ; un cuit-vapeur ou un couscoussier ; un batteur ou un fouet électrique,
1 marteau, 1 tournevis,
1 râpe

Cassez la noix de coco en enfonçant un tournevis dans l'une des dépressions situées à une extrémité du fruit et en frappant avec un marteau. Recueillez l'eau de coco {buvez-la !}, fendez la coque et retirez la chair avec un couteau {sans vous blesser}. Retirez la peau brune avec un économe, rincez la chair et râpez-la en fins filaments. Réservez.

Pour le caramel, faites cuire le sucre jusqu'à obtention d'un caramel brun. Ajoutez l'eau et faites cuire 5 minutes en remuant jusqu'à ce que le caramel soit dissous. Retirez du feu, versez le sirop au fond d'un saladier et laissez refroidir.

Tamisez ensemble la farine, le lait en poudre et le bicarbonate.

Versez de l'eau dans le fond d'une marmite à vapeur posée sur feu doux. Graissez soigneusement l'intérieur des moules avec l'huile ou la crème de coco. Déposez-les dans le panier vapeur afin de les faire chauffer.

À l'aide d'un batteur électrique, fouettez les œufs et le sucre jusqu'à obtention d'un mélange léger et mousseux.

À l'aide d'une spatule en caoutchouc, incorporez doucement le mélange tamisé au sirop de caramel, puis ajoutez les œufs battus délicatement, sans faire retomber le mélange. Versez ce mélange aux trois quarts de la hauteur des moules, couvrez et faites cuire 10 minutes à la vapeur {un peu plus ou un peu moins selon la taille des moules}.

Quand les gâteaux sont bien levés, retirez les moules du cuit-vapeur et laissez refroidir le tout avant de démouler.

Mélangez la noix de coco râpée et le sel. Garnissez-en le sommet des gâteaux juste avant de servir.

NE CÉDEZ PAS À LA TENTATION D'UTILISER DE LA NOIX DE COCO SÉCHÉE : RIEN NE REMPLACE LE GOÛT DE LA NOIX DE COCO FRAÎCHE. SI VOUS TROUVEZ DE LA CHAIR DE COCO CONGELÉE, EN REVANCHE, ALLEZ-Y. CES GÂTEAUX LÉGERS ET MOUSSEUX SONT À L'ORIGINE DE L'ENTREMETS CHINOIS APPELÉ *MALAKO*.

L'Inde

« *Pour faire une bonne tasse de thé, prenez de l'eau fraîche. Évitez l'eau qui a bouilli longuement ou l'eau bouillie refroidie, car votre thé ressemblerait à de l'eau de caniveau. [...] N'utilisez pas de casserole où vous faites cuire des curries.* » Tels sont les conseils que donne Manorama Ekanbaram dans son livre *Hindu Cookery* {Bombay, 1963}. Pour le reste, rien dans ses recommandations ne diffère de la méthode classique anglaise. Elle précise tout de même qu'il faut faire chauffer le lait et l'ajouter, avec le sucre, juste avant de servir. Voilà pour la touche indienne.

L'Inde

Madhur Jaffrey, dans *An Invitation to Indian Cooking* {1973}, rappelle que, jusqu'au tout début du XXe siècle, le thé était quasi inconnu en Inde. Les Indiens, écrit-elle, buvaient des *shurbut* — des sirops de fruits allongés d'eau glacée — ou du lait chaud, que de nos jours encore on aime bien mousseux. Pour obtenir cette mousse, le serveur transvase le breuvage d'un gobelet à l'autre en élevant le bras — technique analogue à celle du thé à la menthe maghrébin. Un long ruban de lait bouillant s'étire entre les mains du vendeur, d'où la blague populaire à Delhi du client étranger qui commanda avec ses pâtisseries « deux mètres de cette chose blanche ». Cette spécialité pourrait bien être à l'origine du *chai*, le très populaire thé indien au lait, ainsi que du *teh tarik* de Malaisie {voir page 88}.

En Inde, en effet, on boit toujours le thé additionné de lait. Certains croient qu'il s'agit d'une habitude anglaise, mais en réalité son origine semble purement indienne. Soucieux d'hygiène alimentaire, les Indiens remarquèrent que le tanin de leurs thés rouges — beaucoup plus agressif que celui des thés chinois — était nocif pour l'estomac. Ils firent donc fusionner la nouvelle boisson avec leur bon vieux lait chaud, qui neutralisait l'action du tanin ;

quelques épices sur tout cela, et le thé à l'indienne était né. Bien que très concentré et aromatique, c'est une boisson étonnamment douce au palais.

Avec ou sans épices, le *chai* est le compagnon favori des pâtisseries salées ou sucrées qui ponctuent la journée indienne. Madhur Jaffrey évoque la phrase *Quon bhai, chai hojai ?* {« *Et maintenant, frère, si on prenait le thé ?* »} qui résonnait à chaque heure dans les studios de télévision de Delhi où elle travaillait. C'était le signal pour cesser toute activité et grignoter, entre deux lampées de *chai* brûlant, *samosas* et *gulab jamun*. En moyenne, un Indien fait quatre *chai breaks* {pauses thé} par jour, celui de 4 heures étant accompagné d'un goûter.

Au milieu du XIXe siècle, lorsque les Anglais entreprirent de cultiver le thé en Inde, ils s'aperçurent que le théier existait déjà à l'état sauvage dans la région d'Assam. Les plantations coloniales furent développées à partir de ces souches natives croisées avec des cultivars chinois. Le produit de ces exploitations fut d'abord destiné aux marchés européens, mais vers les années 1900, les Indiens commencèrent à l'apprécier, un engouement qui ne devait plus jamais faiblir.

Il existe deux familles de thés indiens correspondant à deux méthodes de production et de traitement. Il s'agit d'une part des thés dits « orthodoxes » et d'autre part des thés dits « CTC ».

Les thés orthodoxes sont les thés classiques, à l'anglaise, en feuilles entières ou brisées. La plupart des thés indiens et sri-lankais d'exportation sont de ce type.

Les CTC {*crush, tear and curl*} sont destinés au marché indien. Les feuilles passent entre des rouleaux qui les écrasent, les déchirent et les roulent en boulettes, libérant ainsi les essences. Cela donne des thés corsés, supportant l'ébullition, tels qu'on les aime en Inde pour faire le *chai*.

Crus de thés indiens

Le thé est cultivé dans cinq zones principales du subcontinent indien : Darjeeling, au pied de l'Himalaya oriental ; Assam, plus à l'est, non loin de la région dont le théier est originaire {à la rencontre de la Chine, de l'Inde et de la Birmanie} ; Himachal Pradesh {Kangra Valley}, au sud du Kashmir ; Nilgiri, en Inde du Sud ; et Sri Lanka {Ceylan}. Selon l'habitude anglaise, il s'agit toujours de thés rouges {dits « noirs » en Europe}, dont les caractères varient. L'Inde et le Sri Lanka se sont récemment mis à produire des oolongs, des thés verts et des thés blancs afin de prendre leur part du marché américain.

Les darjeelings sont les plus réputés, les moins oxydés et donc les moins corsés. Ils sont préparés selon le mode orthodoxe. On apprécie leurs tons floraux, capiteux, et leur note de muscat. Ils sont cultivés en altitude dans de petites propriétés aux méthodes artisanales. Le terme *flush* sert à distinguer les récoltes saisonnières : *first flush* correspond à la récolte de mars, délicate et rare, donnant une liqueur pâle ; *second flush* désigne la récolte de juin, plus corsée, à infusion ambrée ; *autumnal flush*, le plus puissant, est le thé récolté après la mousson. Les darjeelings sont plutôt des thés d'après-midi et de soirée.

Les assams, produits en basse altitude, ont un caractère particulier. Intensément colorée, leur infusion est corsée, maltée, puissante. Ces thés sont le plus souvent des CTC, mais c'est sous la forme orthodoxe qu'ils sont exportés en Europe, généralement pour servir de base aux mélanges breakfast. Ce sont des thés du matin.

Les nilgiris proviennent des monts Ghats occidentaux, en Inde du Sud. Leur territoire s'étend sur la partie nord du Tamil Nadu et sur une petite portion du Kerala. Ces thés intensément parfumés étaient autrefois appréciés en URSS. De nos jours, ils sont surtout destinés au marché domestique et traités selon la méthode CTC. Si vous voulez faire un *chai*, ce sont ces thés-là qu'il faut choisir.

Les ceylans sont mondialement connus comme matière première du Lipton Yellow, mais ils méritent mieux que cette réputation. Cultivés au Sri Lanka depuis la seconde moitié du XIXe siècle, ils sont désaltérants, corsés sans être agressifs, avec des notes citronnées caractéristiques.
Si vous ne préparez pas ces thés selon les méthodes indiennes {*chai* ou *kahwa*} mais simplement en théière, utilisez de l'eau de source frémissante et infusez deux minutes et demie.

Comment faire un chai

Sans épices

Pour 4 personnes, faites chauffer dans une casserole 60 cl d'eau et 20 cl de lait entier ou écrémé. Portez à frémissement, ajoutez 1 bonne cuillerée à café de thé et donnez un bouillon. Retirez du feu, laissez reposer quelques secondes, puis portez de nouveau à ébullition. Lorsque le liquide a pris couleur, filtrez-le à travers une passoire fine. Vous pouvez faire flotter dans les tasses une ou deux gousses de cardamome verte écrasées avec un maillet.

Avec épices {*masala chai*}

Pilez dans un mortier les épices suivantes : 3 gousses de cardamome verte entières, 12 grains de poivre noir, 5 cm de cannelle en bâton, 2 clous de girofle, quelques râpures de muscade.
Faites bouillir l'eau dans une casserole et ajoutez les épices. Laissez frémir 1 minute. Ajoutez le lait et du sucre à volonté, portez à ébullition. Versez dans les tasses à travers une passoire fine.

Avec épices, *version light*

Parfois, on a juste envie d'un peu de parfum. Dans la recette précédente, remplacez le mélange par 2 cardamomes vertes écrasées, 3 pincées de gingembre frais râpé et 2 pincées de menthe séchée. Très rafraîchissant.

Kahwa

C'est le thé à la mode kashmirie. Il diffère du *chai* par plusieurs points : il se boit sans lait, se prépare avec du thé vert et contient des amandes et du safran. On peut, si l'on veut, ajouter à cette recette du poivre noir pilé avec les autres épices.

POUR 4 PERSONNES : 10 AMANDES ENTIÈRES MONDÉES • 5 CM DE BÂTON DE CANNELLE • 5 GOUSSES DE CARDAMOME VERTE • 70 CL D'EAU • 1 PINCÉE DE FILAMENTS DE SAFRAN • MIEL OU SUCRE À VOLONTÉ • 3 CUILLERÉES À SOUPE DE THÉ VERT {THÉ DU KASHMIR OU GUNPOWDER}

Dans un mortier, écrasez finement les amandes. Réservez-les. Écrasez également la cannelle et la cardamome. Portez la moitié de l'eau à ébullition, ajoutez la cannelle et la cardamome. Laissez frémir 10 minutes. Ajoutez le safran émietté et le sucre ou le miel ; remuez une fois, laissez frémir. Lorsque l'eau prend une couleur brune et que le parfum des épices se dégage, ajoutez le reste de l'eau. Portez à ébullition, ajoutez le thé, retirez du feu, couvrez et laissez infuser 3 minutes. Rincez 4 tasses à l'eau chaude, videz-les, répartissez-y les amandes. Versez-y le thé bouillant à travers une passoire fine. Servez.

113

TOUTES CES RECETTES IRONT BIEN AVEC UN *CHAI*, UN *MASALA CHAI*, UN *KAHWA* OU MÊME UN THÉ EN THÉIÈRE À L'ANGLAISE. LA SUGGESTION D'ACCOMPAGNEMENT N'EST QU'UNE ORIENTATION, CAR TOUS LES THÉS INDIENS FONT L'AFFAIRE.

Croquettes de pomme de terre aux épices
Alu lahche

2 pommes de terre moyennes
1 cuillerée à café de sel fin
1 cuillerée à café de cumin en poudre
1 cuillerée à soupe rase d'*amchur*
{poudre de mangue acidulée} ou,
à défaut, 1 citron vert
1/2 cuillerée à café de paprika fort
Huile pour friture

THÉ
Nilgiri

Difficulté *
Pour 4 personnes
Préparation : 20 minutes
Cuisson : 10-15 minutes

USTENSILES SPÉCIAUX
une râpe à gros trous,
une friteuse ou
une bassine à friture

Pelez, lavez les pommes de terre et râpez-les sur une râpe à gros trous dans une passoire. Rincez-les de nouveau à l'eau courante, pressez-les avec vos mains puis essorez-les soigneusement dans un linge propre. Toute ces opérations doivent être accomplies rapidement.

Faites chauffer l'huile pour la friture. Quand elle commence à fumer, faites frire les pommes de terre par cuillerées, sans encombrer le récipient. Lorsqu'elles sont bien dorées, retirez-les avec une écumoire et égouttez-les sur du papier absorbant.

Tant qu'elles sont encore chaudes, mélangez le sel et les épices, et saupoudrez-en les croquettes. Remuez légèrement. Si vous n'avez pas de poudre de mangue, arrosez les croquettes, juste avant de servir, de quelques gouttes de jus de citron vert. Servez chaud.

THÉS
Assam, darjeeling
second flush

Difficulté **

Pour 6 personnes
Préparation : 30 minutes
Cuisson :
20 minutes {boulettes},
30 minutes {curry}

USTENSILES SPÉCIAUX
robot, friteuse
ou bassine à friture

400 g de viande d'agneau hachée
6 gousses d'ail
1 oignon
30 g de *ghee* {beurre clarifié}
1 cuillerée à café de poivre noir du moulin
2 cuillerées à soupe de poudre de coriandre
2 pincées de muscade râpée
1 cuillerée à café de paprika
1/2 cuillerée à café de *garam masala*
2 cuillerées à soupe de concentré de tomate
1 cuillerée à soupe de yaourt épais
{yaourt à la grecque}
6 œufs durs
2 œufs battus
Huile pour friture
Sel

LE CURRY
1 oignon finement haché
1 noir de gingembre finement hachée
2 cuillerées à soupe de *ghee*
{beurre clarifié}
1 cuillerée à café de curcuma
1 cuillerée à café de *garam masala*
Poudre de chili {selon votre goût}
2 grosses tomates mondées,
épépinées et hachées
10 cl de yaourt épais
{yaourt à la grecque}
1 petit bouquet de coriandre
Sel

Curry de boulettes « narcisse »
Nargisi kofta

Mixez la viande hachée dans le bol d'un robot pour obtenir une texture encore plus fine. Épluchez et hachez grossièrement l'ail et l'oignon. Réduisez-les en pâte fine dans le bol du robot, puis faites-les frire 5 minutes dans le *ghee* sur feu doux, en remuant. Mélangez la viande, l'ail et l'oignon, les épices, le concentré de tomate et le yaourt. Salez suffisamment et mélangez la farce avec vos mains pendant environ 3 minutes pour lui donner du corps. Écalez les œufs. Divisez la farce en 6 portions et façonnez chacune en une boulette aplatie dans la paume de votre main. Déposez-y un œuf et refermez la boulette de façon à l'enfermer complètement. Donnez une forme bien ronde à votre boulette.

Faites chauffer l'huile pour la friture. Quand elle commence à fumer, trempez les boulettes dans l'œuf battu et faites-les frire sur les deux faces jusqu'à ce qu'elles soient bien dorées. N'encombrez pas le récipient de friture ; procédez en plusieurs fois. À mesure que les boulettes sont frites, égouttez-les sur du papier absorbant.

Préparez la sauce : dans une sauteuse, faites suer l'oignon et le gingembre dans le *ghee* pendant 3 minutes sur feu doux. Ajoutez les épices, puis les tomates. Laissez réduire sur feu moyen pendant 5 minutes, puis ajoutez le yaourt en fouettant bien pour lier la sauce. Ajoutez un peu d'eau chaude pour l'allonger un peu. Salez. Ajoutez les boulettes et laissez cuire doucement 20 minutes sans couvrir.

Placez chaque boulette dans un bol individuel, nappez-la de sauce et coupez-la en deux afin de révéler l'œuf dur à l'intérieur. Parsemez de pluches de coriandre et servez.

Crevettes en croûte d'épices

Difficulté ★★
Pour 4 personnes
Préparation : 20 minutes
Marinade : 3 heures
Cuisson : 5-7 minutes
Ustensiles spéciaux :
une râpe, un pinceau

Préparez d'abord la marinade des crevettes : râpez finement le gingembre et l'ail, puis ajoutez le reste des ingrédients {moins les crevettes}. Mélangez bien.

Décortiquez les crevettes et incisez-les sur toute la longueur du dos pour retirer la veine. Ajoutez-les à la marinade, mélangez bien avec vos mains, et laissez reposer 3 heures au frais.

Préparez le chutney : râpez finement le gingembre, pressez-le à travers une passoire fine afin de recueillir 2 cuillerées à café de jus. Râpez finement les gousses d'ail. Ajoutez le reste des ingrédients et mélangez bien.

Mélangez le yaourt, la crème, la farine, les œufs et un peu de sel en une pâte homogène. Enrobez chaque crevette de cette pâte.

Faites chauffer le gril du four. Faites griller les crevettes en les badigeonnant fréquemment de *ghee* et en les retournant de temps en temps, de 5 à 7 minutes, jusqu'à ce qu'elles soient dorées et croustillantes.

Servez chaud avec le chutney.

16 grosses crevettes crues, décongelées
150 g de yaourt épais {yaourt à la grecque}
2 cuillerées à soupe de jus de citron vert
1 noix de gingembre frais épluché
2 gousses d'ail épluchées
1 cuillerée à café de *garam masala*
1/2 cuillerée à café {ou plus} de poudre de chili
2 cuillerées à soupe de coriandre fraîche hachée
1 cuillerée à soupe de menthe fraîche hachée
2 cuillerées à soupe d'huile d'arachide ou de tournesol
Ghee {beurre clarifié}
Sel

LA PÂTE
10 cl de yaourt à la grecque
2 cuillerées à soupe de crème liquide
3 cuillerées à soupe de farine
2 œufs
Sel

LE CHUTNEY DE TOMATES FRAÎCHES
1 noix de gingembre frais épluché
4 tomates, pelées, épépinées et finement hachées
2 gousses d'ail épluchées
1 cuillerée à soupe de jus de citron vert
1 cuillerée à café de poudre de chili
1 cuillerée à soupe de sucre muscovado ou de cassonade
1 cuillerée à soupe de coriandre fraîche hachée

Poisson à la mode parsie

8 petits filets de poisson {merlan, sole, limande…}, 750 g en tout
2 gousses d'ail épluchées
1 noisette de gingembre frais épluché
1 gros citron jaune non traité
2 oignons
2 piments verts frais débarrassés de leurs graines
1 petit bouquet de coriandre
1 cuillerée à café de cumin en poudre
1/2 cuillerée à café de fenugrec en poudre
100 g de chair de noix de coco fraîche
2 cuillerées à soupe de ghee {beurre clarifié} ou d'huile
2 cuillerées à café de sel + un peu pour le poisson
1 cuillerée à café de *garam masala*
Feuilles de bananier {ou d'aluminium}

THÉ
Darjeeling *first flush*

Difficulté **
Pour 4 personnes
Préparation : 30 minutes
Cuisson : 30 minutes

USTENSILES SPÉCIAUX
un cuit-vapeur,
un économe, un robot

Rincez les filets de poisson et épongez-les avec du papier absorbant. Salez-les sur les deux faces et laissez-les reposer.

Hachez finement l'ail et le gingembre. À l'aide d'un économe, retirez la peau brune de la noix de coco. Coupez la chair en morceaux.

Prélevez le zeste du citron avec l'économe. Pelez le citron à vif et coupez la chair en morceaux, en retirant tous les pépins. Dans le bol d'un robot, réunissez 1 oignon grossièrement haché, le citron, le zeste, le gingembre, l'ail, les piments verts, les feuilles de coriandre, le cumin et le fenugrec. Réduisez en purée fine. Ajoutez la noix de coco, mixez à nouveau.

Hachez l'oignon restant et faites-le frire dans le ghee ou l'huile en remuant jusqu'à ce qu'il soit brun-doré. Ajoutez le contenu du robot et faites frire cette pâte jusqu'à ce qu'elle soit épaisse et sente bon. Retirez du feu, ajoutez le sel et le *garam masala*.

Enrobez les filets de poisson de ce mélange, roulez-les et enveloppez-les dans des feuilles de bananier {attachez les bords avec des cure-dents} ou d'aluminium. Faites cuire 30 minutes à vapeur douce en retournant les paquets 1 fois à mi-cuisson. Servez dans les feuilles de bananier ou les papillotes, qui seront ouvertes à table.

Poulet au safran

4 cuisses et hauts de cuisse de poulet fermier
1/2 cuillerée à café de safran en filaments
1 gros oignon épluché et grossièrement haché
4 gousses d'ail épluchées
1 noix de gingembre épluché
1 ou 2 piments rouges frais débarrassés de leurs graines et coupés en tranches
3 cuillerées à soupe de *ghee* {beurre clarifié}
1 cuillerée à café de graines de cardamome verte écrasées
Sel

THÉ
Ceylan orange pekoe

Difficulté *
Pour 4 à 6 personnes
Préparation : 20 minutes
Cuisson : 30-35 minutes

USTENSILES SPÉCIAUX
mixeur ou robot

Désossez les cuisses de poulet à l'aide d'un couteau fin et tranchant, puis découpez-les en morceaux de la taille d'une bouchée. Ne retirez pas la peau.

Faites griller le safran dans une petite poêle sans matière grasse pendant 1 minute. Il doit changer de couleur et exhaler son odeur sans brûler. Émiettez-le dans un petit bol, puis couvrez-le d'une cuillerée d'eau bouillante. Laissez reposer.

Mixez l'oignon, l'ail et le gingembre en une pâte fine en ajoutant quelques gouttes d'eau pour faciliter l'opération. Faites-les frire dans le *ghee*, dans une cocotte, avec les piments, sans cesser de remuer jusqu'à ce que la pâte épaississe et prenne couleur. Ajoutez le safran, la cardamome, mélangez, puis ajoutez le poulet.

Sur feu plus vif, faites cuire en remuant jusqu'à ce que chaque morceau de poulet soit imprégné du mélange aromatique et commence à dorer {environ 10 minutes}. Salez, couvrez la cocotte et faites cuire 10 ou 15 minutes sur feu doux, ou jusqu'à ce que le poulet soit tendre. Faites cuire à découvert pendant une dizaine de minutes en remuant constamment les morceaux de poulet avec une spatule, jusqu'à ce que toute humidité ait disparu et que le poulet soit légèrement rissolé. Vous pouvez servir avec du riz.

CE PLAT APPARTIENT À LA CATÉGORIE DES « CURRIES SECS », DANS LESQUELS LA SAUCE EST RÉDUITE ET LES INGRÉDIENTS RISSOLÉS. QUEL SAFRAN CHOISIR ? UTILISEZ DE PRÉFÉRENCE UN SAFRAN D'IRAN OU D'INDE, OU DU SAFRAN GREC DE KOZANI. LE SAFRAN ESPAGNOL N'A PAS TOUT À FAIT L'ARÔME QUI CONVIENT À CETTE RECETTE.

Pain perdu moghol
Shahi tukra

1 grosse pincée de filaments de safran
6 cuillerées à soupe de lait
8 tranches de pain de mie de bonne qualité
80 g de *ghee* {beurre clarifié}
120 g de sucre
120 g de poudre de lait entier
5 cuillerées à soupe de crème liquide
2 cuillerées à soupe de pistaches
entières mondées, grossièrement hachées
Quelques gouttes d'eau de rose

Faites bouillir le lait et versez-le sur le safran dans un petit bol.

Retirez les croûtes des tranches de pain. Faites frire le pain dans le *ghee* sur les deux faces jusqu'à ce qu'il soit bien doré. Réservez sur une assiette.

Dans une casserole, versez le lait safrané, ajoutez le sucre et faites-le fondre sur feu doux. Versez ce lait sur les tranches de pain et laissez-les s'imprégner pendant 7 minutes, puis égouttez-les sur une grille pendant 5 minutes. Conservez soigneusement le lait rendu par les tranches de pain.

Dans un bol, mélangez le lait en poudre avec un peu d'eau afin d'obtenir une pâte épaisse. Faites frire cette pâte dans un peu de *ghee* jusqu'à ce qu'elle soit légèrement dorée. Ajoutez le lait recueilli, la crème, et mélangez bien sur feu doux pendant 1 minute. La texture doit être crémeuse. Si elle est trop épaisse, ajoutez un peu de lait ou de crème.

Ajoutez les tranches de pain et faites cuire 5 minutes sur feu doux en retournant le pain à mi-cuisson. Faites ensuite réduire sur feu moyen jusqu'à évaporation presque complète du liquide. Soulevez les tranches de pain avec une spatule et déposez-les sur un plat.

Parsemez de pistaches hachées, ajoutez quelques gouttes d'eau de rose et mettez le plat au réfrigérateur pour au moins 2 heures. Servez bien frais.

THÉ
Masala chai

Difficulté *

Préparation : 30 minutes
Cuisson : environ 20 minutes
Réfrigération : 2 heures

USTENSILES SPÉCIAUX
grille

POUR TIRER LE MEILLEUR DE CE DESSERT DE MAHARAJAH, SUIVEZ LES CONSEILS SUR LE SAFRAN DONNÉS EN INTRODUCTION DE LA RECETTE DE POULET AU SAFRAN {PAGE 120}. N'UTILISEZ PAS DE GRANDES TRANCHES DE PAIN DE MIE INDUSTRIEL, MAIS DU PAIN DE MIE DE BOULANGER {9-10 CM DE CÔTÉ}, À TEXTURE FERME, DE PRÉFÉRENCE AU LEVAIN.

Sablés à la cardamome
Naan khatai

2 cuillerées à café rases
de graines de cardamome verte
ou de poudre de cardamome
150 g de farine
50 g de semoule de blé fine
125 g de *ghee* {beurre clarifié} ou de beurre
125 g de sucre semoule
1 douzaine de pistaches ou d'amandes
mondées et hachées au couteau

Écrasez les graines de cardamome dans un mortier. Mélangez et tamisez la farine, la semoule et la cardamome.

À l'aide d'un batteur électrique, fouettez le *ghee* avec le sucre jusqu'à obtention d'un mélange crémeux et léger. Petit à petit, sans cesser de battre, ajoutez les ingrédients tamisés. N'ajoutez pas d'eau. Laissez reposer ce mélange à température ambiante pendant 30 minutes {s'il fait chaud, laissez reposer au frais}.

Préchauffez le four à 150 °C {th. 5}. Badigeonnez de *ghee* une feuille de papier sulfurisé et garnissez-en une plaque à pâtisserie.

Façonnez cette pâte en 24 boulettes. Aplatissez-les légèrement et posez-les sur la plaque garnie de papier sulfurisé beurré. Garnissez les biscuits de pistaches ou d'amandes hachées. Faites cuire environ 30 minutes au four, jusqu'à ce que les sablés soient légèrement dorés.

Laissez refroidir sur une grille et conservez dans une boîte à fermeture hermétique.

THÉS
Tous thés

Difficulté *
Pour 2 douzaines de sablés
Préparation : 20 minutes
Repos : 30 minutes
Cuisson : 30 minutes

USTENSILES SPÉCIAUX
Batteur, plaque, papier sulfurisé, grille, mortier

Halva de carottes
Halva gajjar

1 litre de lait entier
350 g de carottes de sable
200 g de sucre
80 g de *ghee* {beurre clarifié} ou de beurre
50 g d'amandes entières mondées
50 g de pistaches entières mondées
1 cuillerée à café de graines de cardamome verte écrasées
1 cuillerée à soupe de raisins de Smyrne

THÉ
Kahwa

Difficulté **

Pour 6 personnes
Préparation : 15 minutes
Cuisson : environ 1 h 30

USTENSILES SPÉCIAUX
râpe, casserole
antiadhésive

Ne pelez pas les carottes avec un économe mais grattez-les superficiellement. Lavez-les et râpez-les. Hachez grossièrement, au couteau, les amandes et les pistaches.

Dans une grande casserole antiadhésive, faites bouillir le lait et ajoutez les carottes. Faites cuire 1 heure sur feu très doux, sans laisser déborder, en remuant souvent. Ne laissez surtout pas brûler. Vérifiez la texture, qui doit être onctueuse et homogène. Sinon, faites cuire encore un peu.

Ajoutez le sucre, les raisins et le *ghee*. Continuez la cuisson en remuant fréquemment, jusqu'à ce que le mélange soit épais. Ajoutez la cardamome, les amandes et les pistaches, et faites cuire encore 5 minutes.

Servez tiède dans des coupes ou des bols.

CE DESSERT TRÈS RICHE SE SERT TIÈDE, EN PETITE QUANTITÉ. PARCE QU'IL MET EN VALEUR LE GOÛT DES CAROTTES, JE VOUS CONSEILLE D'UTILISER DES CAROTTES DE SABLE BIO, DONT LA COULEUR ROUGE FERA MERVEILLE. N'UTILISEZ PAS DE CAROTTES NOUVELLES, LA CHAIR DOIT ÊTRE ROBUSTE POUR SUPPORTER UNE LONGUE CUISSON.

Les pays
du Samovar

Si j'ai choisi de regrouper dans ce chapitre les pays d'une région si vaste et si diverse, c'est, hors de toute autre considération, parce qu'ils ont en commun la culture du samovar par opposition à la culture de la théière. Le thé au samovar, en effet, est une liqueur concentrée que l'on dilue avec de l'eau bouillante toujours à portée de main. Cette technique — et les institutions qui l'accompagnent : maison de thé, relais de caravane, jardin de thé en Turquie — relie comme un trait d'union des régions souvent fort éloignées les unes des autres. On peut la considérer comme spécifique de l'Asie centrale.

La Russie

L'aventure du thé russe commence au milieu du XVIIe siècle. Quelques décennies plus tard, des caravanes de chameaux parcourent la route du thé : près de seize mille kilomètres de steppe et de montagne, plus d'un an de voyage pour apporter « l'herbe chinoise » au pays des tsars. Initialement, il s'agit de thé noir en brique. Plus tard, le thé rouge en vrac lui est préféré. Chaque chameau peut en porter trois cents kilos. Les caravanes passent de deux mille cinq cents chameaux vers 1817 à dix mille chameaux douze ans plus tard. Le thé se démocratise. Dans la ville de Tula, la fabrication de samovars en laiton bat déjà son plein.

Il n'est pas difficile de comprendre le succès du thé en Russie. Dans ce pays au climat rude, il réchauffe et fortifie. Depuis la fin du XVIIIe siècle, la société tout entière le boit quotidiennement, chez soi, au travail, au restaurant ou tiré au samovar portatif des marchands ambulants. De nos jours, le thé provient non plus de Chine mais du Sri Lanka, d'Inde ou de Géorgie, mais la culture russe du thé reste vivace. Et si le samovar moderne est électrique, les samovars à charbon sont toujours fabriqués à Tula.

Comme partout en Asie, il n'y a pas d'heure pour le thé. Il accompagne les repas, aide à traverser les moments de froid ou de fatigue. « S'asseoir près du samovar », c'est boire du thé entre amis dans l'aura bienfaisante de la grande bouilloire. Ce moment de détente a beaucoup en commun avec le *gongfu cha* chinois ; tous deux illustrent à merveille la convivialité asiatique.

Le thé russe est bu dans des tasses en porcelaine ou dans des verres maintenus par des porte-verre en métal. La soucoupe peut aussi servir de récipient à boire. Cette coutume tient aux contraintes du samovar : la combinaison d'eau bouillante et de thé constamment chauffé donne un breuvage brûlant.

Or, quand on a froid et soif, on veut boire vite. C'est pourquoi les marchands de jadis eurent l'idée de le verser dans la soucoupe pour accélérer le refroidissement. Cette coutume, qui se pratique avec de forts bruits d'aspiration, n'eut jamais la faveur des classes élégantes.

Contrairement à l'usage chinois, le Russe prit très tôt l'habitude d'adoucir son thé avec sucre, miel ou confiture. L'ajout de lait n'est pas courant. Le désir de ne pas faire déborder une tasse déjà bien pleine donna naissance à la pratique populaire appelée *vprikusku* : le thé est bu à travers un morceau de sucre candi tenu dans la bouche. La confiture est dégustée de la même façon : une cuillerée dans la bouche, et l'on boit le thé par-dessus, à petites gorgées.

Les Russes sont les inventeurs du thé au citron. Au temps où les voyageurs exténués s'arrêtaient dans les gîtes d'étape, les tranches de citron servies avec le thé réveillaient leur estomac barbouillé. Cet usage se répandit si bien que, longtemps en Europe, le thé au citron fut appelé « thé à la russe ». De nos jours, les thés « goût russe » sont subtilement aromatisés aux agrumes {bergamote, mandarine, orange}.

Toasts au hareng

3 beaux harengs frais
12 belles tranches de pain blanc {pas de pain de mie,
préférer le pain parisien ou la baguette}
Beurre
2 cuillerées à soupe d'huile d'olive
6 jaunes d'œufs durs
1 cuillerée à soupe de moutarde de Dijon
1 cuillerée à soupe de petites câpres
Sel, poivre du moulin

THÉS
Mélanges russes,
keemun, thés fumés,
mélanges Breakfast,
Earl Grey

L'ACCORD PARFAIT
lapsang souchong

Difficulté *

Pour 4 personnes
Préparation : 20 minutes
Cuisson : 5 minutes

USTENSILES SPÉCIAUX
couteau filet-de-sole

Préchauffez le four à 160 °C (th. 5-6).

Levez les filets des harengs, retirez la peau. Gardez soigneusement les œufs ou la laitance des harengs. Hachez les filets au couteau.

Faites frire vos tranches de pain dans du beurre sur les deux faces jusqu'à ce qu'elles soient croustillantes.

Mélangez à la fourchette les jaunes d'œufs durs écrasés, l'huile d'olive, la moutarde, les câpres et les laitances ou les œufs des harengs. Salez, poivrez. Étalez ce mélange sur les toasts et recouvrez des filets de hareng hachés. Salez, poivrez, passez les tartines 5 minutes au four et servez chaud.

CES TOASTS NÉCESSITENT DES HARENGS FRAIS ET SONT DONC PLUTÔT ASSOCIÉS À LA FIN DE L'HIVER MAIS, HORS SAISON, VOUS POUVEZ UTILISER DES FILETS DE HARENGS DOUX FUMÉS ET VOUS PASSER DE LA LAITANCE.

LIBAN

Rasstegai au saumon

1 oignon
20 g de beurre
1 œuf dur
4 branches de persil plat
500 g de pâte feuilletée pur beurre
250 g de saumon cuit émietté, sans peau ni arêtes
Sel, poivre du moulin
1 jaune d'œuf

LA SAUCE
15 cl de fumet de poisson
20 g de beurre
1 cuillerée à café de persil très finement haché
Sel

THÉS
Mélange Caravane,
Grand Yunnan, Darjeeling

L'ACCORD PARFAIT
Keemun de deuxième infusion
avec une goutte de crème

Difficulté *
Pour 4 personnes
{8 *rasstegai*}
Préparation : 30 minutes
Cuisson : 15-20 minutes

USTENSILES SPÉCIAUX
rouleau à pâtisserie,
mixeur plongeant

Hachez finement l'oignon et faites-le dorer dans le beurre chaud. Écalez l'œuf dur et hachez-le au couteau. Hachez les feuilles du persil. Mélangez à la fourchette ces ingrédients avec le saumon cuit, salez et poivrez.

Préchauffez le four à 200 °C {th. 6-7}. Étalez la pâte feuilletée et découpez-y 8 disques de 12 cm de diamètre. Divisez la farce en 8 portions et posez-en une au centre de chaque disque. Humectez et soudez les bords selon une ligne médiane pour obtenir un chausson allongé, mais ne soudez pas la partie centrale : laissez une « boutonnière » de 3 cm environ. Posez les *rasstegai* sur une plaque garnie de papier sulfurisé, badigeonnez-les de jaune d'œuf battu avec quelques gouttes d'eau et faites-les cuire 15 à 20 minutes au four.

Peu avant de servir, faites chauffer le fumet de poisson avec le beurre et le persil, salez, et émulsionnez avec un mixeur plongeant. Une fois les *rasstegai* sortis du four, versez un peu de cette sauce dans l'ouverture. Servez tiède.

LES *RASSTEGAI*, DONT LE NOM VIENT DU VERBE RUSSE SIGNIFIANT « DÉBOUTONNER », SONT DES CHAUSSONS MUNIS D'UNE OUVERTURE SUR LE DESSUS. VOUS POUVEZ UTILISER DE LA PÂTE FEUILLETÉE DÉCONGELÉE OU LA COMMANDER CHEZ VOTRE PÂTISSIER. LE SAUMON PEUT ÊTRE REMPLACÉ PAR TOUT AUTRE POISSON.

GÉORGIE

Aubergines farcies aux noix

Rincez les aubergines et coupez-les en deux dans le sens de la longueur. Salez-les généreusement et laissez-les reposer 1 heure dans une passoire. Ce temps écoulé, rincez-les rapidement sous l'eau courante, pressez-les dans vos mains pour éliminer l'humidité et épongez-les soigneusement dans du papier absorbant.

Faites chauffer 1 cm d'huile d'olive dans une poêle. Quand elle est bien chaude, battez le blanc d'œuf à la fourchette et trempez-y rapidement les aubergines, surtout sur le côté coupé. Faites-les frire, côté coupé en premier, jusqu'à ce qu'elles soient bien dorées. Retournez-les et faites frire l'autre côté. Quand les aubergines sont bien tendres, retirez-les et égouttez-les sur du papier absorbant. Éliminez la presque totalité de l'huile de la poêle.

Dans le bol d'un robot, mixez d'abord l'ail, puis ajoutez les noix. Concassez-les finement sans les réduire en poudre. Au couteau, hachez le céleri et l'oignon. Ciselez finement le persil et la coriandre fraîche.

Faites griller le safran dans une petite poêle sans matière grasse pendant 1 minute. Il doit changer de couleur et exhaler son odeur sans brûler. Émiettez-le dans un petit bol, puis couvrez-le d'une cuillerée d'eau bouillante. Laissez reposer.

Faites suer l'oignon et le céleri 5 minutes dans la poêle sur feu doux, ajoutez le mélange noix-ail, la coriandre, le safran ; laissez cuire 5 minutes. En fin de cuisson, ajoutez le vinaigre selon votre goût et les herbes hachées. Salez, poivrez.

Rangez les aubergines frites dans un plat, creusez-les légèrement. Farcissez-les du mélange précédent. Laissez reposer 1 heure. Vous pouvez garder ce plat au réfrigérateur ; il est meilleur le lendemain. Mais il doit être servi à température ambiante.

4 petites aubergines
1 blanc d'œuf
Huile d'olive
4 gousses d'ail
200 g de cerneaux de noix
10 cm de branche de céleri
1 oignon
1 petit bouquet de persil plat
1 petit bouquet de coriandre fraîche
1 cuillerée à café de coriandre en poudre
1 grosse pincée de filaments de safran
3 cuillerées à soupe {ou plus} de vinaigre de vin rouge
Sel, poivre du moulin

THÉS
Mélange Caravane, keemun, thé iranien ou géorgien

L'ACCORD PARFAIT
Oolong fermenté

Difficulté ⁎⁎

Pour 4 personnes
Préparation : 25 minutes
Repos : 1 heure
Cuisson : 30 minutes environ

USTENSILES SPÉCIAUX
robot ou mixeur

LE PASSAGE DES AUBERGINES AU BLANC D'ŒUF AVANT DE LES FAIRE FRIRE EST UN TRUC DE CUISINE QUI N'A RIEN DE SPÉCIALEMENT GÉORGIEN : IL EMPÊCHE CES LÉGUMES D'ABSORBER L'HUILE COMME DES ÉPONGES ET DONNE UN RÉSULTAT PLUS LÉGER.

RUSSIE

Pelmeni

LA PÂTE : 3 œufs entiers + 3 jaunes / 1 cuillerée à café bombée de sel / 350 g de farine • LA FARCE : 1 petit oignon / 200 g de chair à saucisse / 100 g de bœuf haché / 100 g de champignons de Paris finement hachés / 3 cuillerées à soupe de lait froid / 3 cuillerées à soupe de beurre • POUR SERVIR : vinaigre de cidre, crème fraîche, quelques branches d'aneth, sel, poivre du moulin

Dans un saladier, disposez la farine et le sel en fontaine. Ajoutez les œufs entiers et les jaunes en tournant jusqu'à obtention d'une pâte homogène. Ajoutez un peu d'eau froide si vous avez besoin de l'assouplir. Pétrissez-la jusqu'à ce qu'elle soit bien lisse, enveloppez-la de film étirable et laissez reposer 1 heure au frais.

Hachez finement l'oignon. Réunissez la chair à saucisse, l'oignon, le bœuf, le lait, le beurre et les champignons dans le bol d'un robot et mixez afin d'obtenir une farce homogène et fine sans être une purée. Elle doit être ferme ; vous pouvez la raffermir en la gardant une ou deux heures au réfrigérateur.

Façonnez la pâte en boulettes de la taille d'une noix. Abaissez-les finement au rouleau. Façonnez des boulettes de farce de la taille d'une petite noix ; afin de leur donner la forme sphérique idéale, vous pouvez utiliser une cuillère parisienne. Enfermez chaque boulette dans une abaisse de pâte et soudez fermement les bords en pressant vers l'extérieur pour éliminer les bulles d'air.

Disposez les *pelmeni* en une couche sur des plaques garnies de papier sulfurisé et faites-les congeler. Une fois qu'ils sont congelés, vous pouvez les ranger dans des sachets et les garder au congélateur.

Faites cuire les *pelmeni* encore congelés 10 minutes environ dans de l'eau bouillante. Égouttez, servez avec une sauce composée de crème fraîche chauffée avec un peu de vinaigre de cidre, d'aneth haché, de sel et de poivre.

L'ÉTAPE DE CONGÉLATION PEUT VOUS SEMBLER SUPERFLUE, MAIS LES PURISTES INSISTENT : ELLE EST NÉCESSAIRE À LA RÉUSSITE DE CES RAVIOLIS SIBÉRIENS TENDRES ET MOELLEUX.

THÉS
Mélanges russes, mélange Caravane, keemun, Earl Grey, oolong légèrement torréfié {shui xian}

L'ACCORD PARFAIT
Thé vert *long jing*

Difficulté **
Pour 4 personnes
Préparation : 25 minutes
Repos : 1 heure + au moins 6 heures de congélation
Cuisson : 10 minutes

USTENSILES SPÉCIAUX
Robot, plaques garnies de papier sulfurisé, éventuellement cuillère parisienne {pour billes de melon} pour façonner la farce

RUSSIE

Blintzes au fromage

150 g de farine / 1 pincée de sel / 1/2 cuillerée à café / Levure chimique / 1 gros œuf / 2 cuillerées à soupe de beurre clarifié tiédi + un peu pour la cuisson et le service / 20 cl de lait / 20 cl de bière blonde / Un peu de cassonade pour saupoudrer • LA GARNITURE : 1 citron non traité {de préférence de Menton, d'Italie ou de Sicile} / 60 g de fromage triple/crème {Philadelphia Cream Cheese, ou 3 carrés de Kiri} / 2 cuillerées à soupe de sucre / 1 cuillerée à café d'extrait de vanille / 150 g de *cottage cheese*

THÉS
Earl Grey, Darjeeling, Ceylan

L'ACCORD PARFAIT
Mélanges russes
aux arômes d'agrumes

Difficulté *
Pour 4 personnes
Préparation : 20 minutes
Repos : 1 heure
Cuisson : 20 minutes environ

USTENSILES SPÉCIAUX
passoire fine, fouet,
couteau zesteur,
poêles à blinis

Tamisez la farine avec le sel et la levure chimique. Ajoutez l'œuf, puis le beurre clarifié, tout en fouettant pour obtenir un mélange homogène. Ajoutez petit à petit le lait, puis la bière. Vous devez obtenir une pâte à crêpes bien lisse. Laissez-la reposer 1 heure.

Pendant ce temps, préparez la garniture. Lavez et séchez le citron, râpez finement le zeste. Mélangez le fromage triple-crème avec le zeste et la moitié du jus du citron, l'extrait de vanille et le sucre. Battez longuement avec une fourchette pour parvenir à une préparation légère. Mélangez-le au *cottage cheese*. Goûtez : le résultat doit être citronné et aromatique. Ajoutez du jus de citron si nécessaire.

Préparez les crêpes dans des poêles à blinis ou dans toute autre poêle de petite taille. Faites-les aussi fines que possible.

Encore tièdes, enroulez-les autour d'une cuillerée à soupe de garniture et servez-en 3 ou 4 par assiette. Arrosez d'un peu de jus de citron et de beurre fondu, saupoudrez de cassonade.

SI JE RECOMMANDE DU CITRON DE MENTON, DE SICILE OU D'ITALIE, C'EST POUR
SON PARFUM UNIQUE. L'ARÔME D'AGRUME DOIT EN EFFET IRRADIER DE CES
PETITES CRÊPES. VOUS TROUVEREZ CE TYPE DE CITRON DANS LE COMMERCE BIO.

Faire le thé

Cette imposante bouilloire en métal a connu son heure de gloire entre le XVIIIe siècle et les années 1960. Sans doute dérivé de l'ancienne bouilloire tibéto-mongole, le samovar a sa place dans les foyers, mais aussi dans l'espace public : trains, bureaux, restaurants, magasins…

Il existe des samovars de toutes tailles ; certains, conçus pour l'armée ou les collectivités, tiennent leur trentaine de litres. L'ustensile traditionnel se compose d'un gros réservoir à eau {cylindrique, ovoïde ou en forme de cratère grec} traversé par une cheminée verticale qui reçoit le combustible – charbon de bois ou pommes de pin sèches – et muni d'un robinet. Une niche supérieure est conçue pour recevoir une théière. La fumée est évacuée par une cheminée amovible. Les samovars modernes sont électriques. La théière posée au sommet du samovar contient une infusion concentrée appelée *zavarka*. Pour obtenir une tasse de thé, il suffit d'en diluer un peu avec l'eau bouillante du samovar {*kipiatok*}.

Le samovar

Malgré la rareté du samovar, il me semble utile d'en rappeler l'usage traditionnel, ne serait-ce que pour aider le lecteur à en réaliser une version simplifiée {voir plus loin la préparation du thé turc}.

Remplir le samovar d'eau et allumer le feu dans le foyer central. Cela fait, placer la cheminée amovible. Chauffer l'intérieur de la théière à l'aide de la vapeur s'échappant des ouvertures du samovar, y introduire les feuilles de thé et poser le couvercle afin de les chauffer pendant quelques secondes. Verser l'eau bouillante sur les feuilles {environ 25 cl d'eau pour 5 cuillerées à thé de feuilles} et attendre qu'elles tombent au fond de la théière {environ 5 minutes}. Pour servir, la proportion est à peu près d'un volume de *zavarka* pour dix volumes d'eau. La *zavarka* continue d'infuser dans sa théière posée sur le samovar, constamment chauffée par la vapeur.

Quels thés ?

Pour réaliser un thé russe, le vrai goût traditionnel passe par un thé rouge chinois de type keemun, capable de soutenir une infusion prolongée ; par un thé géorgien, dans le style du keemun ; un Earl Grey ; un mélange Caravane, conçu sur le modèle des thés autrefois transportés à dos de chameau. Les thés « goût russe » ou « mélange russe » aux arômes d'agrumes vont de soi, de même que les thés iraniens et les thés turcs. Un thé noir chinois en brique, premier thé importé en Russie, est envisageable. Les thés d'Inde et de Ceylan correspondent au « goût moderne », quoique personnellement je recommande plutôt les choix précédents.

Ces conseils généraux s'accordent à toutes les recettes de ce chapitre. D'autres, plus spécifiques, les accompagnent individuellement.

Iran, Afghanistan...

En Iran, le thé est servi partout — bazars, mosquées, lieux de travail — et à toute heure. Au petit déjeuner, il accompagne pain, miel et fromage. En fin de repas, les fruits frais et secs ; et tous les en-cas au cours de la journée. « *Que mange-t-on avec le thé ?* » demandai-je un jour à un Iranien. « *Des noix, du miel, du pain... et du riz !* » répondit-il, appuyant sur le dernier mot d'un air nostalgique. La *tchaïkhaneh*, à la fois salon de thé, restaurant et lieu de réunion, figure au centre de la vie publique persane et afghane.

C'est au bord de la mer Caspienne, dans la province de Gilan, que s'étendent les plantations de thé iraniennes. Elles produisent un thé rouge fruité et subtil, riche en couleur, souvent aromatisé à la bergamote.

Le thé est servi sous forme d'infusion concentrée dans de petits verres cerclés d'argent, disposés sur un plateau. On le dilue ensuite dans les verres avec l'eau du samovar et on l'adoucit avec des éclats de sucre candi placés dans la bouche. Jamais de lait ! Ce mode de service n'est évidemment pas sans rappeler la manière russe.

Le samovar existe d'ailleurs en Iran depuis plus de deux siècles. Il n'est pas rare de voir plusieurs théières de métal disposées en cercle autour d'un feu de bois, calées sur des pierres ; le thé s'y concentre doucement, prêt à être dilué d'eau bouillante. Le samovar afghan peut correspondre à deux types : samovar russo-iranien classique ou samovar des nomades, grosse bouilloire munie d'un bec et posée sur les braises.

En Afghanistan, on pose une théière pleine devant chaque convive, qui doit avoir son verre toujours rempli jusqu'à ce que la théière soit vide. Cet usage est à l'origine d'une façon très afghane de mesurer la distance : « *C'est à trois théières d'ici.* » À cheval sur plusieurs cultures — persane, indo-kashmirie, turkmène, himalayenne —, les Afghans boivent du thé vert dans les villages et plutôt du thé rouge dans les villes. Ce thé peut être pur, au samovar, mais aussi préparé en *chîr chay*, version locale du *kahwa* kashmiri {voir page 113}. Ce thé d'apparat est bu en deux parties, l'une salée, l'autre sucrée. Enfin, le *qaymaq chai* {thé à la crème, recette plus loin} fut probablement emprunté aux Tibétains, qui, eux, le boivent salé {voir page 62}.

Turquie

Les privations de la Première Guerre mondiale ont laissé leurs traces dans l'esprit ironique des Turcs amateurs de thé, leur boisson nationale. On dit qu'il existe cinq manières de le boire : sucré, non sucré, avec un morceau de sucre dans la bouche, ou en regardant un morceau de sucre dans un bocal en verre. La cinquième méthode, utilisée quand il n'y a plus de sucre du tout, nécessite l'intervention d'un chef. Chacun se tient prêt, verre en main, et au moment où le chef dit : *sucre !*, tout le monde boit.

Le thé rouge turc à l'arôme délicat, aux accents de rose, provient de la région de Rize, au bord de la mer Noire. Il se boit fort {koyu çay} ou léger {acik çay}, sans lait, mais il reste toujours doux au palais.

Il n'est pas servi dans des tasses mais dans de petits verres en tulipe qui permettent d'admirer la robe rouge intense du thé {*taysan kanı*, littéralement « sang de lapin »}.

Ce thé est préparé selon la technique du samovar, souvent simplifiée au moyen d'une bouilloire cylindrique en acier au sommet de laquelle s'emboîte une théière. Si vous ne trouvez pas cet ustensile dans les bazars turcs, utilisez une bouilloire à couvercle amovible ; sur l'ouverture découverte, vous poserez une petite théière.

Quels thés ?

Les thés de la mer Caspienne se trouvent dans les magasins spécialisés en produits iraniens. Profitez-en pour faire le plein de bâtonnets de sucre candi nature ou aromatisé au safran, de fruits secs d'excellente qualité et de délicieux biscuits persans. Le thé vert utilisé en Asie centrale est généralement du gunpowder. Pour le thé rouge afghan, choisissez un darjeeling, un ceylan ou un nilgiri. Des suggestions plus précises sont données avec chaque recette.

Pour le thé turc, employez un thé de Rize ou, le cas échéant, un thé géorgien. Évitez tout thé aromatisé {mais vous pouvez essayer par ailleurs le thé turc à la pomme, qui n'est pas un thé mais une infusion}. Les thés indiens et ceylanais sont trop tanniques et les thés chinois n'ont pas les caractéristiques du thé turc.

143

 **AFGHANISTAN**

Pour 2 litres environ.
Difficulté * Pour 4 personnes
Préparation : 15 mn / Cuisson : 10 mn
Ustensiles spéciaux : trois grandes casseroles,
une passoire fine

Thé à la crème
Qaymaq chai

50 cl de lait entier
1 litre d'eau de source
80 g de thé vert chinois gunpowder
300 g de crème double {crème épaisse non
fermentée} ou, à défaut, de crème fleurette
{PAS de crème fraîche}
200 g de sucre
1 cuillerée à café de poudre de cardamome
verte {ou les graines écrasées de 6 ou
7 gousses de cardamome verte}

Faites bouillir le lait, versez-le dans une
grande casserole. Portez l'eau à ébullition,
ajoutez les feuilles de thé et laissez frémir
10 minutes sur feu doux. Filtrez le liquide
dans une grande casserole à travers une
passoire fine. Faites-le passer alternativement d'une casserole à l'autre en le sou-
levant de très haut pour l'aérer. Recommencez une bonne dizaine de fois, jusqu'à
ce que le thé prenne la couleur rose vif
« des fleurs de pêcher au printemps ». Versez le thé sur le lait bouilli. Ajoutez le sucre
et la crème. Saupoudrez de cardamome et
servez dans de grands bols.

CETTE BOISSON AFGHANE POUR TEMPÉRA-
TURES SOUS ZÉRO EST UNE VERSION OUTRA-
GEUSEMENT RICHE DU *CHAI* INDIEN. VOUS
VOUS APERCEVREZ VITE QUE LE TOUR DE
MAIN EST ESSENTIEL. HEUREUSEMENT, IL N'A
RIEN DE COMPLIQUÉ, MÊME S'IL FRISE L'HAL-
TÉROPHILIE.

 **TURQUIE**

Difficulté * Préparation : 20 minutes

Thé turc

Thé rouge de Turquie
Eau minérale peu minéralisée ou
eau du robinet filtrée
Sucre en poudre ou en morceaux

Versez de l'eau dans la bouilloire ou dans
la partie inférieure de la théière turque.
Dans la théière supérieure, versez les
feuilles de thé à raison d'une petite cuillerée par personne et une pour la théière.
Posez la théière sur la bouilloire ; elle doit
s'y emboîter le plus exactement possible.
Portez l'eau à ébullition et laissez la vapeur
chauffer la théière pendant 1 minute. Retirez la bouilloire du feu et versez de l'eau
bouillante dans la théière supérieure en
fonction du nombre de convives. Fermez
la théière et replacez-la sur la bouilloire.
Laissez infuser environ 15 minutes {le
temps que les feuilles tombent au fond de
la théière}. Versez dans les verres.

La proportion pour un thé corsé est de deux
tiers de thé et un tiers d'eau bouillante. Pour
un thé léger, la proportion est inverse. Sucrez
à votre goût ou servez du sucre à part.

Maquereau farci
Uskumru dolmasi

Coupez les nageoires et la tête du maquereau sans percer le ventre. Lavez et épongez doucement le poisson. Roulez-le sur un plan de travail afin d'attendrir la chair. Brisez l'arête centrale juste avant la queue, en pliant bien celle-ci des deux côtés, toujours sans percer la peau. Et maintenant, armez-vous de courage et videz le poisson ainsi : passez vos doigts, côté tête, tout autour de l'arête, petit à petit, en la détachant et en remontant vers la queue. Rappel : si vous percez la peau, votre recette est irrémédiablement ratée. Petit à petit, détachez l'arête en retournant la peau du maquereau comme une chaussette. Vous réduisez la chair en bouillie : c'est normal. Retirez-la au fur et à mesure et réservez-la dans un bol.

Lorsque l'arête est détachée jusqu'à la queue, retirez-la. Continuez d'extraire autant de chair que possible ; pour finir, pressez la peau comme un tube de dentifrice pour en retirer la chair restante. Rincez l'extérieur sous l'eau courante.

Préchauffez le four à 120 °C. Faites dorer l'oignon dans l'huile d'olive, ajoutez les pignons, les raisins, les noix, les épices, le sel et le poivre, puis les deux tiers de la chair du maquereau, et retirez immédiatement du feu. Ajoutez le persil et la mie de pain, mélangez et laissez tiédir. Farcissez le poisson de ce mélange en pressant doucement, toujours comme un tube de dentifrice, mais en sens inverse, pour le remplir jusqu'à la queue. Tassez bien la farce.

Enroulez le poisson dans une grande papillote d'aluminium huilée un peu serrée, fermez hermétiquement. Faites cuire 40 minutes au four et laissez tiédir dans la papillote. Dégustez tiède ou froid, coupé en tranches.

L'OPÉRATION DE VIDAGE DU MAQUEREAU N'EST PAS PRÉCISÉMENT SIMPLE, MAIS VOUS NE VOUS DONNEREZ PAS DU MAL POUR RIEN. LA RECETTE ORIGINALE DEMANDE DES MAQUEREAUX PLUS PETITS, QUE L'ON FAIT FRIRE UNE FOIS FARCIS. JE PRÉFÈRE UN PLUS GROS POISSON CUIT EN PAPILLOTE, CE QUI PERMET DE LE SERVIR EN TRANCHES AVEC LE THÉ. C'EST UN PLAT SOMPTUEUX.

1 maquereau de 500 à 700 g, ultrafrais
1 petit oignon finement haché
3 cuillerées à soupe d'huile d'olive
2 cuillerées à soupe de pignons de pin
2 cuillerées à soupe de raisins de Smyrne
2 cuillerées à soupe de noix hachées
1/2 cuillerée à café de cannelle
1/2 cuillerée à café de poudre de quatre-épices
2 branches de persil plat finement haché
1 petite tranche de pain de mie {sans croûte} trempée dans du lait et essorée
Sel, poivre du moulin

THÉS
Thé turc, thé iranien, mélange Caravane, keemun, Grand Yunnan

L'ACCORD PARFAIT
Earl Grey

Difficulté ★★★

Pour 4 personnes
Préparation : 40 minutes
Cuisson : 40 minutes

USTENSILES SPÉCIAUX
une grande feuille d'aluminium

GRÈCE

Croquettes de tomate à la menthe
Domatokeftedes

2 grosses tomates de maraîcher
{style marmande ou cœur-de-bœuf} mûres mais fermes
1 oignon doux des Cévennes
1 cuillerée à café de sucre
50 g de feta grecque
2 branches de menthe fraîche
Huile d'olive pour la friture
Farine autolevante {farine à gâteaux}
1 pincée de bicarbonate de soude
Sel fin, poivre du moulin

THÉS
Darjeeling, thés japonais
gyôkuro ou *sencha*,
oolongs fermentés.

L'ACCORD PARFAIT
Pu-erh vert

Difficulté *
Pour 4 personnes
{en composition avec
d'autres petits plats}
Préparation : 15 minutes
Repos : 30 minutes
Cuisson : 15 minutes

Pelez les tomates après les avoir ébouillantées quelques secondes. Coupez-les en tranches, salez-les sur les 2 faces et posez-les sur plusieurs épaisseurs de papier absorbant. Retournez-les au bout de 15 minutes pour faire égoutter l'autre face. Hachez-les grossièrement.

Épluchez et hachez l'oignon. Ciselez les feuilles de menthe et émiettez la feta.

Dans un saladier, mélangez les tomates, l'oignon, le sucre, la feta et la menthe. Salez et poivrez. Ajoutez la farine petit à petit, pas trop, de façon à lier les ingrédients en une pâte humide. Ajoutez le bicarbonate et mélangez bien.

Faites chauffer 2 cm d'huile d'olive dans une poêle en fonte. Quand elle commence à fumer, déposez-y la pâte par petits tas {approximativement une cuillerée à soupe}, en les espaçant bien. Faites bien dorer {2-3 minutes de chaque côté}. Égouttez les croquettes sur du papier absorbant pendant que vous faites frire le reste. Servez chaud.

JE NE DONNE PAS DE PROPORTIONS POUR LA FARINE CAR SA QUANTITÉ DÉPEND DE L'HUMIDITÉ DES TOMATES. FIEZ-VOUS À LA CONSISTANCE DE LA PÂTE {NI LIQUIDE NI TROP ÉPAISSE}. VOUS POUVEZ REMPLACER LA MENTHE PAR DU BASILIC. LE CHOIX DES TOMATES EST TRÈS IMPORTANT : IL FAUT QU'ELLES AIENT DU GOÛT.

Feuilles de chou farcies,
sauce à l'œuf et au citron

THÉS : thés verts chinois, japonais ou coréens • **L'ACCORD PARFAIT** : thé vert long jing

Difficulté ** Pour 4 personnes. Préparation : 30 minutes. Cuisson : 45 minutes

1 chou vert / 500 g d'agneau finement haché / 100 g de riz cuit / 1 oignon finement haché / 20 g de beurre mou / 2 œufs / 30 g de raisins de Corinthe ou de Smyrne / 50 g de pignons de pin / 30 g de pistaches hachées / 1 botte d'aneth haché / 75 cl de vin blanc sec / 1 litre de bouillon de volaille / Huile d'olive / Sel fin, poivre du moulin • LA LIAISON À L'ŒUF ET AU CITRON : 2 œufs frais / Le jus de 1 citron.

Commencez par préparer le chou : détachez les feuilles, faites-les blanchir 1 minute à l'eau bouillante. Égouttez les feuilles, essuyez-les dans du papier absorbant et retirez les côtes. Coupez les grandes feuilles en 2, les petites resteront entières.

Huilez une grande cocotte ou une sauteuse avec un peu d'huile d'olive.

Mélangez l'agneau, le riz, le beurre, les raisins, les pignons, les pistaches, l'aneth haché, sel et poivre. Liez avec les œufs battus et mélangez à la main. Façonnez des boulettes et enveloppez-les dans les feuilles de chou. Au fur et à mesure, disposez les feuilles farcies dans une grande cocotte enduite d'huile d'olive. Posez-les côté « couture » vers le bas, en les serrant légè-rement afin de bien les caler, et superposez-les en couches régulières. Cou-vrez du bouillon additionné du vin blanc sec, portez doucement à ébullition, ajoutez un filet d'huile d'olive et couvrez la cocotte. Faites cuire 45 minutes sur feu doux.

Ce temps écoulé, pressez le citron, battez les œufs en omelette. Sans cesser de battre, ajoutez le jus de citron en filet. Les œufs doivent légèrement pâlir.

Avec précaution, disposez les feuilles de chou farcies dans des assiettes creuses ou dans un plat creux. Ajoutez 1 louche du bouillon bien chaud dans les œufs battus en remuant vivement ; ajoutez une seconde louche puis ver-sez le tout dans le bouillon. Faites chauffer sur feu doux jusqu'à épaississe-ment : celui-ci est très rapide. Ne faites pas cuire davantage.

Nappez les feuilles de chou farci de la sauce œuf-citron et servez bien chaud, garni de pluches d'aneth.

OUZBÉKISTAN

Manti à l'agneau

LA SAUCE : 20 cl de yaourt nature style bulgare / 2 gousses d'ail finement hachées / 1 cuillerée à soupe de coriandre fraîche finement hachée / 1 cuillerée à soupe de menthe fraîche finement hachée / Sel • **LA PÂTE :** 175 g de farine / 1/2 cuillerée à café de sel / Les jaunes de 2 gros œufs {ou de 3 petits} / 1 cuillerée à soupe d'huile végétale / Environ 8/9 cl d'eau • **LA FARCE :** 1 petit oignon finement haché / 1 cuillerée à soupe d'huile / 180 g de viande d'agneau maigre hachée / 3 gousses d'ail finement hachées / 1 cuillerée à soupe de beurre clarifié / 1 cuillerée à soupe de coriandre fraîche finement hachée / 1 cuillerée à soupe de menthe fraîche finement hachée / 2 cuillerées à soupe de fond de volaille / 30 g de beurre bien froid / Sel, poivre du moulin.

THÉS
Thé russe, thé iranien, thés indiens, *chai*

L'ACCORD PARFAIT
Thé turc

Difficulté ✳✳
Pour 4 personnes {*20 manti*}
Préparation : 40 minutes
Repos : 30 minutes
Cuisson : 20 minutes

USTENSILES SPÉCIAUX
robot ou mixeur, rouleau à pâtisserie, linge humide, emporte-pièce rond, couscoussier ou cuit-vapeur

Préparez la sauce la veille : mélangez tous les ingrédients dans un bocal à fermeture hermétique. Fermez, agitez bien et réservez une nuit au réfrigérateur pour laisser infuser les saveurs.

Préparez la pâte : dans le bol d'un robot, versez la farine et le sel. Faites tourner le moteur en ajoutant les jaunes d'œufs un par un, puis l'huile. Ajoutez ensuite de l'eau goutte à goutte jusqu'à ce que la pâte se ramasse en boule. Pétrissez-la 2 minutes à la main puis enveloppez-la dans un film étirable et laissez reposer 30 minutes au frais.

Préparez la farce : faites sauter l'oignon 3 minutes dans l'huile. Hors du feu, ajoutez tous les autres ingrédients {sauf le beurre froid} et mélangez bien.

Divisez la pâte en 2. Étalez finement la moitié au rouleau, en gardant le reste de la pâte sous un linge légèrement humidifié. Découpez 10 disques de 8 cm de diamètre à l'aide d'un emporte-pièce ou d'un verre. Couvrez d'un linge, abaissez le reste de pâte et découpez 10 autres disques. Ayez un petit bol d'eau à portée de main. Déposez 1 petite cuillerée de farce sur chaque disque et posez 1 petit morceau de beurre froid au sommet. Humectez les bords de la pâte, pincez-les en 4 endroits et réunissez-les au sommet en scellant bien. Tordez légèrement la pâte au sommet du *manti* pour mieux la faire adhérer. Garnissez le panier d'un cuit-vapeur ou un panier chinois en bambou, de papier sulfurisé percé et huilé. Posez-y les *manti* sans qu'ils se touchent. Faites cuire 20 minutes à la vapeur. Si vous faites cuire 2 étages de *manti*, intervertissez les étages du cuit-vapeur à mi-cuisson. Servez bien chaud, nappé de la sauce bien froide et garni de menthe ou de coriandre.

LES BOULETTES

320 g de steak haché
pas trop maigre
3 gousses d'ail hachées
1 cuillerée à café rase de sel
1 cuillerée à café rase de
cannelle en poudre
1 cuillerée à café rase
de poivre noir du moulin
1 pincée de poudre de clou
de girofle
60 g de griottes séchées ou
120 g de griottes surgelées
2 cuillerées à soupe
de ghee {beurre clarifié}

LA SAUCE

50 cl de bouillon de volaille
75 g de haricots mung
{soja vert} décortiqués
1 petit oignon haché
2 gousses d'ail hachées
3 cuillerées à soupe de
concentré de tomate
1 tomate pelée et épépinée,
grossièrement hachée
1 pincée de chaque :
cannelle en poudre,
clou de girofle en poudre,
paprika piquant
Sel, poivre du moulin

THÉS
Thé turc, thé géorgien,
Darjeeling, Ceylan

L'ACCORD PARFAIT
Pu-erh, thé noir en brique

Difficulté *
Pour 4 personnes
Préparation : 15 minutes
Trempage des griottes :
30 minutes
Cuisson : 1 heure

AFGHANISTAN

Boulettes de bœuf aux griottes

Faites tremper les griottes séchées 30 minutes dans un peu d'eau pour les réhydrater. Si vous utilisez des griottes décongelées, épongez-les dans du papier absorbant.

Dans le bol d'un robot, mixez la viande avec l'ail, les épices, le sel et le poivre pendant environ 2 minutes. Le tout doit être haché finement. Façonnez la farce en 16 boulettes, aplatissez chacune dans le creux de la main, déposez 4 griottes au centre et reformez la boulette. Gardez les boulettes au frais pendant que vous préparez la sauce.

Dans une casserole, faites cuire les haricots *mung* avec la moitié du bouillon pendant 30 minutes sur feu doux. Ajoutez un peu d'eau si nécessaire.

Dans une sauteuse, faites dorer les boulettes dans un peu de *ghee*, puis réservez-les au chaud sur une assiette. Dans la même sauteuse et dans le reste de *ghee*, faites revenir l'oignon jusqu'à ce qu'il soit translucide. Ajoutez l'ail et faites sauter encore 30 secondes. Ajoutez le reste du bouillon, le concentré de tomate, la tomate hachée. Faites réduire de moitié sur feu vif. Ajoutez les haricots et les boulettes. Continuez la cuisson 30 minutes sur feu doux. Ajoutez enfin les épices, sel et poivre ; laissez cuire encore 5 minutes.

Servez 4 boulettes par personne, nappées de leur sauce.

VOUS TROUVEREZ DES GRIOTTES SÉCHÉES EN MAGASIN BIO.
À DÉFAUT, UTILISEZ DES GRIOTTES DÉNOYAUTÉES SURGELÉES.

GRÈCE

Baklavadakia

Préchauffez le four à 180 °C {th. 6}.

Mélangez les 4 premiers ingrédients du sirop, faites chauffer sur feu doux en remuant pour dissoudre le sucre, puis portez à ébullition et faites cuire jusqu'à ce que le sirop épaississe. Retirez du feu, ajoutez le miel et l'eau de rose. Laissez refroidir.

Mixez les cerneaux de noix avec le sucre, la cannelle et le clou de girofle jusqu'à ce que les noix soient finement hachées, sans être en poudre.

Tenez-vous devant un plan de travail propre, une casserole de beurre fondu et un pinceau à portée de main.

Déroulez les feuilles de filo sans les séparer et coupez toute la pile en 3 dans le sens de la largeur. Étalez 2 feuilles superposées, côté étroit vers vous. Badigeonnez-les généreusement de beurre. Déposez une grosse cuillerée à café de noix hachées sur presque toute la largeur du côté étroit, en vous arrêtant à un peu moins de 1 cm des bords. Repliez le bas de la feuille pour enfermer les noix, appliquez un crayon en travers pour vous guider et roulez la feuille vers le haut pour confectionner un cigare. Rentrez les bords du cigare vers l'intérieur et retirez le crayon. Déposez le cigare sur une plaque, badigeonnez de beurre et répétez l'opération avec le reste des ingrédients, en rangeant les cigares les uns contre les autres. Une fois tous les cigares sur la plaque, badigeonnez du reste de beurre et faites cuire 25-30 minutes au four.

Sortez la plaque du four, saisissez chaque cigare à l'aide d'une pince et plongez-le bien chaud dans le sirop refroidi puis ressortez-le. Rangez les cigares au fur et à mesure dans un plat rectangulaire à rebord. Couvrez de film étirable et laissez refroidir au moins 4 heures au réfrigérateur. Servez à température ambiante.

LA *BAKLAVA* EST UNE PÂTISSERIE OTTOMANE RÉPANDUE DANS TOUT LE PROCHE-ORIENT ET AU MAGHREB. ELLE PEUT ÊTRE PRÉPARÉE EN PLAQUES DÉCOUPÉES EN CARRÉS OU EN LOSANGES, OU SOUS FORME DE PETITS CIGARES ROULÉS. JE VOUS DONNE ICI CETTE DERNIÈRE VERSION, EN PROVENANCE DE GRÈCE.

250 g de cerneaux
de noix bien frais
3 cuillerées à soupe
rases de sucre
1/2 cuillerée à café
de cannelle de Ceylan
en poudre
1 pincée de poudre
de clou de girofle
1 paquet {500 g}
de feuilles de filo
375 g de beurre fondu

LE SIROP
35 cl d'eau
1 bâton de cannelle
de Ceylan
250 g de sucre
le jus de 1/2 citron
1 cuillerée à soupe
d'eau de rose
120 g de miel

THÉS
Tous thés

L'ACCORD PARFAIT
Keemun sans sucre avec
une tranche de citron

Difficulté ★★★
Pour 4 personnes
Préparation : 1 heure
Cuisson : 25 minutes
Repos au frais : 4 heures

USTENSILES SPÉCIAUX
un pinceau à pâtisserie,
un torchon humide,
une plaque à pâtisserie,
un crayon, une pince ou
une paire de baguettes,
un plat rectangulaire

Les sept fruits du Nouvel An
Mewa Naoruzi

100 g d'abricots secs bio de Turquie ou d'Iran
100 g de raisins de Corinthe
100 g de raisins secs blonds sans pépins
50 g de pistaches décortiquées
50 g d'amandes décortiquées
50 g de noix
100 g de cerises fraîches
un peu de vin doux {facultatif}

THÉS
Tous thés

L'ACCORD PARFAIT
Chai ou *kahwa*

Difficulté *
Pour 4 personnes
Préparation : 30 minutes
Repos : 2 jours

Lavez les abricots et les raisins. Faites-les tremper 2 jours dans un récipient couvert, dans une grande quantité d'eau de source ou d'eau filtrée qui doit couvrir les fruits sur plusieurs centimètres.

Au bout de ce temps, réunissez les noix, les pistaches et les amandes dans un grand saladier et couvrez-les d'eau bouillante. Laissez tremper quelques minutes puis retirez les peaux. Jetez l'eau ; égouttez les abricots et les raisins en gardant leur eau de trempage.

Mélangez tous les fruits secs en ajoutant un peu de jus de trempage des abricots et des raisins. Ajoutez les cerises équeutées et servez. Vous pouvez ajouter quelques gouttes de vin blanc doux, par exemple du muscat.

IRAN

Biscuits iraniens à la farine de riz
Nan berenji

125 g de beurre mou
120 g de sucre glace
1 œuf
2 pincées de poudre de cardamome
1 cuillerée à soupe d'eau de rose
250 g de farine de riz
Graines de pavot, ou 1 pincée de filaments de safran
et 2 cuillerées à soupe de lait

THÉS
Tous thés

L'ACCORD PARFAIT
Thé iranien ou turc

Difficulté **
Pour 4 à 6 personnes
Préparation : 15 minutes
Repos : 12 heures
Cuisson : 10 minutes

Pour décorer ces biscuits, vous pouvez ajouter une « goutte de safran » : faites chauffer les filaments de safran dans une poêle sèche jusqu'à ce qu'ils dégagent leur odeur. Faites chauffer le lait et émiettez-y le safran. Mélangez, laissez infuser 1 heure. Cette garniture est facultative.

À l'aide d'un batteur électrique, battez le beurre et le sucre glace en une crème légère. Ajoutez l'œuf, la cardamome et l'eau de rose. Quand le mélange est bien lisse, ajoutez la farine de riz un quart à la fois. Ramassez la pâte en boule, enveloppez-la dans un film étirable et laissez-la reposer toute une nuit au réfrigérateur.

Le lendemain, préchauffez le four à 180 °C {th. 6}. Prenez la pâte par petites cuillerées, roulez-la en boulettes et déposez celles-ci en les pressant légèrement sur une plaque garnie de papier sulfurisé. Saupoudrez de graines de pavot et faites cuire de 7 à 10 minutes à mi-hauteur du four. Les biscuits doivent rester blancs mais se colorer légèrement à la base. Laissez-les reposer dans le four quelques minutes avant de les faire refroidir sur une grille. Si vous optez pour la garniture au safran, ajoutez-en une goutte sur chaque biscuit juste à la sortie du four.

Laissez complètement refroidir et conservez dans un récipient hermétiquement fermé.

Le Maroc

Comment le thé vert chinois s'est-il retrouvé boisson favorite dans le nord-ouest de l'Afrique ? On a beau chercher, on n'en trouve pas entre cette région et le Kashmir. Turquie, Iran, Caucase et même Égypte, dont le gouvernement possède des plantations de thé au Kenya et en importe également du Sri Lanka, sont des pays de thé rouge. Même en Tunisie – où l'on sert aussi du thé vert à la menthe –, on boit dans de petits verres un thé rouge fortement infusé accompagné d'amandes entières.

La tradition remonterait au XVIIIe siècle, époque où l'Angleterre, désireuse de débouchés commerciaux, poussait le Maroc à consommer du thé et à lui acheter les ustensiles pour le préparer. Durant le XIXe siècle, services à thé, thé et sucre furent envoyés en cadeaux à la cour du roi du Maroc. Parfois, en échange, des prisonniers anglais rentraient au bercail. L'habitude du thé ne fut pas longue à s'installer dans le peuple. Pourtant, les thés rouges conseillés par Sa Majesté britannique n'eurent guère de succès auprès des Marocains, dont le goût se tourna très vite vers un autre type de thé, le thé vert, adapté au goût national : sans lait, très sucré, infusé avec de la menthe poivrée, de la menthe verte ou d'autres herbes odorantes.

Le thé vert à la menthe est la boisson nationale ; il accompagne le petit déjeuner : *beghrir* {crêpes levées}, *m'semmen* {galettes feuilletées au beurre}, brioche, pains, miel, huile d'argan et confiture. Il est servi après le déjeuner et, de nouveau l'après-midi, avec des pâtisseries au miel et aux amandes. C'est un symbole d'hospitalité, de paix et d'amitié. L'ampleur de sa consommation fait du Maroc le principal importateur et consommateur de thé vert au monde.

Il s'agit, depuis l'origine, de *gunpowder*, un thé vert de la province du Zhejiang fabriqué depuis la dynastie Tang {VII[e]-Xe siècle}. Ses feuilles roulées en boulettes serrées permettent de le transporter sur de longues distances et conservent longtemps leur arôme. Le *gunpowder* a une saveur prononcée capable de s'harmoniser aux huiles essentielles des menthes et des autres plantes aromatiques. Une légère amertume s'en dégage à mesure que les « grains de poudre » se déploient en longues feuilles vertes. Contrairement aux Asiatiques, qui traitent le thé vert avec précaution et sans excès de chaleur, les Marocains ne reculent pas devant l'eau bouillante et les fortes infusions. Dans certains cas, le thé est même bouilli sur un feu de bois, ce qui développe son âcreté. Une grande quantité de sucre est nécessaire pour la faire passer.

La menthe est l'herbe la plus couramment employée pour aromatiser le thé, mais elle n'est pas une : plusieurs variétés ont leur place dans la théière : menthe verte ou poivrée {*naana ikama*} ; menthe *hebdi* aux feuilles vert sombre ; menthe *herch* aux feuilles rugueuses. *Soffi* est une menthe gris-vert à feuilles rondes et duveteuses. *Fliou* est la menthe pouliot, puissamment parfumée. Enfin, la marjolaine et l'absinthe en hiver peuvent prendre la place de la menthe.

Technique du thé à la menthe

La théière marocaine est en alliage d'étain, ventrue, posée sur quatre petits pieds. Le bec est fortement incurvé et le couvercle creux est en forme de cône arrondi. Certaines sont ornées d'un décor repoussé, la plupart sont lisses. Plus populaire, la théière de fer émaillé a la même forme, mais se pare de couleurs diverses : vert épinard, beige sable, ou bariolée à la chinoise. Elle a le mérite de pouvoir être posée directement sur le feu et de servir aussi de bouilloire.

La menthe introduite dans la théière doit impérativement être fraîche. Parfois, des feuilles de menthe fraîche sont aussi ajoutées dans les verres ; en Tunisie, on y met une cuillerée de pignons de pin. Pour sucrer, on recourt traditionnellement à des éclats de sucre de canne en pain, mais les bâtonnets de sucre roux ou blanc, spécialement fabriqués pour le thé à la menthe, sont aussi typiquement marocains. Le sucre est ajouté au moment de l'infusion et non du service.

Le thé est servi dans de petits verres cylindriques, transparents ou couverts d'un décor coloré. La méthode de service est célèbre : on verse le thé dans le verre en levant haut la théière. Ainsi oxygéné, il a meilleur goût. C'est la technique employée en Inde pour le *chai* et en Malaisie pour le *teh tarik*. La virtuosité réside dans la grâce et l'ampleur du geste et dans l'absence d'éclaboussures, mais, le thé sortant d'un bec de théière et non d'un verre, l'opération n'est pas aussi acrobatique que ses équivalents asiatiques. Le protocole exige qu'on ne remplisse pas complètement le verre et qu'on en serve successivement au moins trois par personne.

Thé à la menthe marocain

Pour 4 à 6 personnes {1 théière de 50 cl}
Préparation : 10 minutes

1 cuillerée à soupe rase de thé vert *gunpowder*
Eau minérale neutre {Volvic} ou eau filtrée
1 belle botte de menthe verte, de menthe poivrée ou de toute autre menthe
100 g de sucre

Portez l'eau à ébullition et versez-en un peu dans la théière. Rincez, secouez et épongez rapidement la botte de menthe, coupez la partie inférieure des tiges.

Videz la théière, ajoutez le thé, rincez-le brièvement avec un peu d'eau bouillante et jetez cette eau à travers une petite passoire. Remettez dans la théière les quelques feuilles échappées.

Portez à nouveau l'eau à frémissement. Tordez les tiges de menthe et ramassez-les en boule, pus introduisez-les dans la théière. Ajoutez le sucre, puis l'eau bouillante en vous assurant que la menthe est bien immergée : les feuilles émergées noircissent et donnent un mauvais goût au thé. Laissez infuser 3 minutes, pas davantage.

Remuez le contenu de la théière. Répartissez le thé dans les 6 verres. Le thé doit être bu bien chaud.

Vous pouvez procéder à deux autres infusions, trois en tout, en ajoutant du sucre à chaque fois. Au bout de trois infusions, renouvelez le thé, le sucre et la menthe.

164

TOUTES CES RECETTES SONT PRÉVUES POUR ÊTRE SERVIES AVEC UN THÉ À LA MENTHE, QUI

CONSTITUE L'ACCORD PARFAIT. IL N'Y A DONC PAS DE CONSEILS D'ACCOMPAGNEMENT. PAR

AILLEURS, COMME LE THÉ À LA MENTHE DE STYLE MAROCAIN S'EST RÉPANDU EN AFRIQUE OCCI-

DENTALE, J'AI INCLUS UNE RECETTE DU CAP-VERT ET DEUX AUTRES DU GOLFE DE GUINÉE.

Salade d'oranges aux olives

4 grosses oranges juteuses
150 g d'olives vertes ou noires, ou mélangées
3 pincées de cumin en poudre
3 pincées de paprika fort
1 cuillerée à soupe d'huile d'olive fruitée
Sel, poivre du moulin

Pour 4 personnes

Difficulté *

Préparation :
20 minutes

Pelez les oranges à vif : tournez autour du fruit avec un couteau tranchant en taillant légèrement dans la chair. Coupez ensuite les oranges en tranches et recueillez-les dans un plat. Réservez le jus.

Dénoyautez les olives et ajoutez-les aux oranges.

Battez le jus d'orange avec le cumin, le paprika, l'huile d'olive, le sel et le poivre. Versez le tout sur la salade. Couvrez et gardez au frais, ou servez à température ambiante.

M'hancha au fromage et aux légumes

Difficulté **
Pour 4 personnes
Préparation : 40 minutes
Cuisson : 15 minutes

USTENSILES SPÉCIAUX
un pinceau, une grande
plaque ou 4 moules
à manqué de 15 cm
de diamètre environ.

1 artichaut / 1 citron / 1 pomme de terre moyenne / 50 g d'olives noires / 2 branches de menthe / 1 petit bouquet de coriandre / 1 oignon blanc / 100 g de petits pois frais écossés / 250 g de fromage de chèvre frais / 8 feuilles de brik / 1 œuf / 1 pincée de cumin / 1 cuillerée à café de paprika / 100 g de beurre fondu / Sel, poivre du moulin

Tournez l'artichaut avec un couteau pointu : retirez les feuilles d'un geste circulaire jusqu'à dégager entièrement le cœur. Retirez le foin. Hachez le fond d'artichaut en petits cubes {4 mm environ} à l'aide d'un couteau tranchant. Arrosez de jus de citron.

Épluchez, lavez la pomme de terre, coupez-la en bâtonnets de 4 mm, puis en petits cubes. Dénoyautez les olives et hachez-les au couteau. Hachez finement la menthe, la coriandre et l'oignon blanc. Faites blanchir l'artichaut, la pomme de terre et les petits pois 3 minutes à l'eau bouillante salée, dans 3 casseroles séparées. Égouttez.

Mélangez le fromage de chèvre, les légumes blanchis, les olives, l'oignon blanc, la menthe et la coriandre, l'œuf, le cumin et le paprika. Salez, poivrez.

Préchauffez le four à 190 °C {th. 6-7}. Beurrez la plaque ou les moules.

Étalez 2 feuilles de brik côte à côte en les faisant se chevaucher sur le tiers de leur surface. Déposez le quart de la farce en un cordon sur toute la longueur. Roulez délicatement la feuille de brik du bas vers le haut, en serrant bien, sans la déchirer, jusqu'à obtenir un boudin. Beurrez généreusement ce boudin à l'aide d'un pinceau. Roulez ensuite ce boudin en spirale et déposez-le sur la plaque ou dans un moule. Beurrez-le de nouveau.

Procédez de même pour le reste des ingrédients. Faites cuire 15 minutes au four. Servez tiède.

LA *M'HANCHA* EST UNE PÂTISSERIE MAROCAINE EN FORME DE SERPENTIN ROULÉ EN SPIRALE. ORDINAIREMENT SUCRÉE, ELLE PEUT AUSSI CONTENIR UNE PRÉPARATION SALÉE.

Difficulté **
Pour 4 personnes {8 pastels}
Préparation : 40 minutes
Repos : 1 heure / Cuisson : 12-15 minutes

Ustensiles spéciaux :
rouleau à pâtisserie, friteuse ou
bassine à friture

●

LA MAYONNAISE

1 jaune d'œuf bien frais
1/2 cuillerée à café de
moutarde de Dijon
1 pincée de paprika fort ou
de piment d'Espelette
1 cuillerée à café de jus de citron vert
1 cuillerée à café d'huile de palme rouge
20 cl d'huile d'olive {portugaise ou
marocaine de préférence}
1 cuillerée à soupe de jus d'ananas
30 g de chair d'ananas mixée
en purée fine

LA PÂTE

1 patate douce cuite à l'eau
1 jaune d'œuf
1 cuillerée à soupe de beurre fondu
150 à 250 g de polenta fine
Huile pour friture, additionnée
d'une cuillerée d'huile de palme rouge

LA FARCE

1 cuillerée à soupe d'huile
de palme rouge
1 petit oignon finement haché
2 gousses d'ail finement hachées
2 chilis rouges frais, débarrassés de
leurs graines et finement hachés
225 g de thon frais haché au couteau
1 tomate roma, pelée et finement hachée
Sel

Pastels au diable,
mayonnaise à l'huile rouge

Dans le bol d'un robot, préparez la mayonnaise en mixant le jaune d'œuf avec la moutarde, le paprika et le jus de citron. Ajoutez goutte à goutte l'huile de palme, puis l'huile d'olive en mince filet. Ajoutez enfin le jus d'ananas, une petite cuillerée d'eau chaude et enfin la pulpe d'ananas. Gardez au frais.

Dans un grand saladier, écrasez à la fourchette la patate douce épluchée avec le jaune d'œuf et le beurre fondu jusqu'à l'obtention d'une purée homogène. Ajoutez petit à petit de la polenta fine en pétrissant jusqu'à ce que vous ayez une pâte ferme. Enveloppez-la de film étirable et laissez-la reposer 1 heure au frais.

Dans une poêle, faites chauffer l'huile de palme. Faites-y frire l'oignon pendant 2 minutes. Ajoutez l'ail, les chilis, faites cuire 2 minutes. Hors du feu, ajoutez le thon et la tomate. Salez. Laissez refroidir.

Sur un plan fariné, abaissez la pâte à 3 mm d'épaisseur. Découpez dedans, à l'aide d'un verre ou d'un emporte-pièce, 8 disques de 8 cm de diamètre. Déposez sur chacun, un peu au-dessus du centre, 2 cuillerées à café de farce. Repliez le disque pour former une demi-lune et pressez bien les bords pour les souder.

Faites chauffer l'huile et faites-y frire les pastels pendant 6 minutes en les retournant à mi-cuisson. Égouttez-les sur du papier absorbant, et servez-les coupés en deux, avec la mayonnaise à l'huile rouge.

CES PASTELS QUI ONT « LE DIABLE AU CORPS », COMME L'INDIQUE LEUR NOM, SONT CAPVERDIENS ET NON MAROCAINS, MAIS CE N'EST PAS UNE RAISON POUR S'EN PRIVER, AVEC QUELQUES BONS VERRES DE THÉ. LA MAYONNAISE NE MANQUE PAS D'INTÉRÊT, ET JE PARIE QUE VOUS LA SERVIREZ AVEC D'AUTRES PLATS. VOUS TROUVEREZ L'HUILE DE PALME ROUGE DANS LES MAGASINS DE PRODUITS AFRICAINS OU BRÉSILIENS.

Roulades de sole farcies aux dattes,
fondue d'oignons à l'huile d'argan

8 petits filets de sole / 40 g de poudre d'amandes légèrement grillée / 1 pincée de poudre de gingembre / 1 cuillerée à soupe de miel / 2 cuillerées à soupe de beurre mou / 8 dattes medjool, dénoyautées / beurre / 1 petit oignon / 15 cl de fumet de poisson / gingembre et cannelle en poudre pour la cuisson des roulades / Sel, poivre du moulin • LA FONDUE D'OIGNONS : 2 cuillerées à soupe d'huile d'olive / 4 oignons finement émincés / 60 g de raisins de Smyrne / 1 pincée de filaments de safran / 1/2 cuillerée à café de cannelle en poudre / 30 g de sucre / 2 cuillerées à soupe de vinaigre de jerez / 2 cuillerées à soupe d'huile d'argan

Difficulté **
Pour 4 personnes
Préparation : 30 minutes
Cuisson :
1 heure {la fondue},
15 minutes {les roulades}

Préparez la fondue d'oignons : faites griller le safran pendant 1 minute environ dans une poêle sèche, jusqu'à ce qu'il change de couleur. Émiettez-le dans un petit bol.

Faites chauffer l'huile d'olive dans une cocotte ; ajoutez les oignons et les raisins et faites dorer les oignons en remuant pendant quelques minutes. Ajoutez les autres ingrédients {moins l'huile d'argan} et faites cuire sur feu très doux en remuant de temps en temps jusqu'à l'obtention d'une fondue {1 heure environ}. Laissez tiédir, puis ajoutez l'huile d'argan. Vous pouvez conserver cette fondue au frais et la faire tiédir avant de servir.

Salez et poivrez les filets de sole. Mélangez la poudre d'amandes {gardez-en une cuillerée à soupe pour la garniture finale}, le gingembre, le miel, le beurre et un peu de poivre. Malaxez bien, farcissez les dattes d'une cuillerée à café de ce mélange. Refermez les dattes. Enroulez un filet de sole autour de chaque datte, attachez chaque filet avec un cure-dents et rangez les roulades de sole dans un plat à gratin beurré. Posez une noisette de beurre sur chaque roulade. Préchauffez le four à 190 °C {th. 6-7}.

Râpez l'oignon, ajoutez-le dans le plat et versez-y le fumet de poisson sans arroser les roulades. Saupoudrez les roulades d'un peu de poudre de gingembre, de cannelle et des amandes réservées. Faites cuire 15 minutes au four. Servez tiède, avec le jus de cuisson et la fondue d'oignons.

UN PLAT TRÈS RAFFINÉ, REPRÉSENTATIF DE L'ART MAROCAIN DES ÉPICES ET DU SUCRÉ-SALÉ.

Aloko, sauce aux crevettes

LA SAUCE AUX CREVETTES
100 g de crevettes séchées {à acheter dans les magasins asiatiques}
3 gousses d'ail épluchées
1 poignée de piments rouges séchés {magasins indiens ou chinois}
25 cl d'huile végétale
1 cuillerée à soupe de sel

L'ALOKO
3 bananes plantains très mûres {noires}
Huile pour friture
Sel

Difficulté *
Pour 4 personnes
Préparation : 20 minutes
Cuisson :
30 minutes environ {la sauce},
15 minutes {l'aloko}

USTENSILES SPÉCIAUX
mixeur ou robot, friteuse
ou bassine à friture

Passez les crevettes séchées et l'ail au mixeur afin de les réduire en une poudre grossière.

Retirez les graines et les filaments intérieurs des piments ; émiettez-les finement ou pilez-les dans un mortier sans les réduire en poudre.

Dans une cocotte en fonte, réunissez tous les ingrédients de la sauce et faites chauffer sur feu vif. Faites cuire en remuant pendant 2 minutes. Baissez le feu et faites rissoler la sauce jusqu'à ce qu'elle soit homogène et sente bon. Versez-la dans un bocal en verre à fermeture hermétique. Elle se conserve plusieurs mois au réfrigérateur.

Pelez les bananes plantains : coupez les deux extrémités et incisez la peau sur toute la longueur. Retirez la peau. Coupez les bananes en biais en tranches de 2-3 cm.

Faites chauffer l'huile pour la friture. Quand elle commence à fumer, faites-y frire les tranches de plantain jusqu'à ce qu'elles soient d'un beau brun-doré. Vous pouvez aussi les frire dans une poêle en fonte dans 1 cm d'huile et les retourner à mi-cuisson. Égouttez-les sur du papier absorbant et servez-les avec un peu de sauce aux crevettes.

LES TRANCHES DE BANANE PLANTAIN FRITES SONT SERVIES UN PEU PARTOUT EN AFRIQUE OCCIDENTALE ET ÉQUATORIALE. LA SAUCE AUX CREVETTES QUI LES ACCOMPAGNE ICI EST UNE SPÉCIALITÉ DU GOLFE DE GUINÉE {GHANA, TOGO, BÉNIN}. CHOISISSEZ DES PLANTAINS TRÈS MÛRS, DONT LA PEAU EST DEVENUE PRESQUE ENTIÈREMENT NOIRE. LA CHAIR EST ALORS SOUPLE ET SUCRÉE, PARFAITE POUR OBTENIR UNE FRITURE MOELLEUSE ET CROUSTILLANTE. SERVEZ UN THÉ À LA MENTHE BIEN CORSÉ AVEC CE PLAT.

Minute de thon à la chermoula

500 g de thon frais {ventrèche de préférence}, nettoyé
1 citron confit et quelques pluches de coriandre pour la garniture

LA CHERMOULA
1 citron confit au sel
1 petit bouquet de persil plat
1 petit bouquet de coriandre fraîche
1 pincée de safran en filaments
2 pincées de paprika doux
1 pincée de paprika fort
2 pincées de cumin en poudre
1 ou 2 cuillerées à soupe de jus de citron selon votre goût
4 cuillerées à soupe d'huile d'olive fruitée
Sel

Hachez finement le citron confit pour la *chermoula* ; hachez aussi les feuilles du persil plat et de la coriandre de façon à en obtenir 2 cuillerées à soupe de chaque. Faites légèrement griller le safran dans une poêle sèche et émiettez-le. Mixez finement en purée tous les ingrédients de la *chermoula*. Goûtez et rectifiez la teneur en sel selon le besoin, car le citron confit est déjà salé.

Coupez le thon en dés de 2 cm, mélangez-les avec la *chermoula*, introduisez le tout dans un sachet pour congélation à glissière, fermez-le et laissez mariner au moins 4 heures au réfrigérateur.

Coupez le citron confit en deux, retirez la pulpe et taillez le zeste en fines lanières.

Faites chauffer un gril, un barbecue ou une poêle antiadhésive. Faites griller le thon sur feu très vif sur toutes ses faces, pas plus de 2 minutes, afin qu'il reste rouge à l'intérieur. Servez garni de lanières de citron confit et de pluches de coriandre.

Difficulté *
Pour 4 personnes
Préparation : 20 minutes
Marinade : 4 heures
Cuisson : 2 minutes

USTENSILES SPÉCIAUX
8 brochettes en bois.

LA *CHERMOULA* EST UNE MARINADE À BASE D'ÉPICES, DE CITRON CONFIT, D'HERBES FRAÎCHES ET D'HUILE D'OLIVE. ELLE CONVIENT PARTICULIÈREMENT AUX POISSONS GRILLÉS OU AU FOUR. CE PLAT SERA ENCORE MEILLEUR PRÉPARÉ AVEC DE LA VENTRÈCHE DE THON.

Briouats aux amandes

125 g d'amandes entières mondées / 125 g de sucre semoule / Le zeste râpé de 1/2 citron / 1 œuf / 4 cuillerées à soupe d'eau de fleur d'oranger / 8 feuilles de brik / 30 cl d'huile végétale {arachide, tournesol…} ● LE SIROP : 125 g de sucre semoule / 1 cuillerée à soupe de miel liquide clair / 7 cl d'eau / Le jus de 1/2 citron / 1 cuillerée à soupe d'eau de fleur d'oranger

Difficulté **
Pour 24 briouats environ
Préparation : 1 heure environ
Cuisson : 20-25 minutes

USTENSILES SPÉCIAUX
robot

Réduisez les amandes en poudre fine dans le bol d'un robot, ajoutez le sucre et mixez encore quelques secondes, puis versez cette poudre dans un bol. Ajoutez le zeste de citron, l'œuf et l'eau de fleur d'oranger, mélangez soigneusement, puis pétrissez avec les mains jusqu'à obtention d'un mélange homogène. Façonnez la pâte d'amandes en boulettes légèrement aplaties d'environ 3 cm de diamètre sur 1 cm d'épaisseur. Réservez-les sur une assiette légèrement huilée.

Découpez chaque feuille de brik en trois bandes de 5 cm de largeur. Coupez une extrémité en carré et l'autre en biais. Étalez devant vous une bande de pâte, déposez une boulette d'amande près du bord carré, repliez la pâte sur la boulette et continuez de replier dans un sens, puis dans l'autre, de façon à former un triangle, jusqu'à l'autre extrémité. Fermez le triangle en insérant l'extrémité pointue dans un repli de pâte. À mesure que vous préparez les briouats, déposez-les sur un plateau.

Faites chauffer l'huile dans une poêle en fonte. Quand elle est bien chaude, faites-y dorer les briouats 2 à 3 minutes de chaque côté, jusqu'à ce qu'ils soient croustillants. Procédez en plusieurs fois si nécessaire. Égouttez-les sur du papier absorbant.

Préparez le sirop : mélangez le sucre, le miel et l'eau dans une casserole. Remuez sur feu moyen pour bien diluer le sucre. Baissez le feu et laissez cuire 10 minutes sur feu doux. Ajoutez le jus de citron, mélangez et faites cuire encore 10 minutes sur feu très doux. Retirez du feu, ajoutez l'eau de fleur d'oranger et mélangez.

Une fois tous les briouats frits, égouttez-les bien et trempez-les dans le sirop chaud. Retirez-les avec une écumoire et disposez-les sur un plat de service. Laissez refroidir.

Beghrir à l'huile d'argan

300 g de semoule de blé très fine
2 œufs
1 sachet de levure chimique
1 cube de levure de boulanger
80 g de beurre
huile d'argan
miel liquide
Sel

Difficulté *

Pour 4 personnes

Préparation : 10 minutes
Repos : 20 minutes
Cuisson :
environ 20 minutes en tout

Disposez la semoule en fontaine dans une terrine. Cassez-y les œufs, ajoutez 1/2 cuillerée à café de sel, la levure chimique et la levure de boulanger émiettée.

Commencez à travailler la pâte au fouet en ajoutant de l'eau tiède au fur et à mesure jusqu'à obtention d'une pâte un peu liquide.

Versez cette préparation dans le bol d'un robot et mixez pendant 1 minute ou jusqu'à obtention d'une crème jaune pâle, lisse et homogène. Versez-la dans un saladier et laissez-la reposer 20 minutes dans un endroit tiède.

Faites cuire les crêpes à sec dans une poêle antiadhésive jusqu'à ce que la surface soit juste sèche. Réservez-les sous un linge pendant que vous préparez les crêpes suivantes.

Faites fondre le beurre, ajoutez huile d'argan et miel à votre goût. Arrosez les crêpes de ce mélange avant de les servir.

Cornes de gazelle

250 g de farine / 1 œuf / 125 g de beurre en petits dés / Sel fin, sucre glace pour le décor • GARNITURE : 200 g d'amandes entières mondées / 40 g de beurre mou / 100 g de sucre semoule / 1 cuillerée à soupe d'eau de fleur d'oranger

Difficulté **
Pour environ 18 cornes de gazelle
Préparation : 35 minutes
Cuisson : 15-20 minutes

USTENSILES SPÉCIAUX
robot, plaque à pâtisserie, papier sulfurisé

Versez la farine dans un grand bol, ajoutez le sel et le beurre. Travaillez du bout des doigts en émiettant le mélange jusqu'à ce qu'il prenne une apparence de semoule. Ajoutez l'œuf, pétrissez délicatement jusqu'à obtention d'une pâte homogène. Roulez-la en boule, enveloppez-la de film étirable et laissez-la reposer au frais le temps de préparer la pâte d'amande.

Réduisez les amandes en poudre fine dans le bol d'un robot. Ajoutez le beurre, le sucre et l'eau de fleur d'oranger. Mixez en une pâte homogène, puis pétrissez-la quelques instants pour l'assouplir.

Préchauffez le four à 150 °C {th. 5}. Farinez votre plan de travail, prenez une grosse noix de pâte, roulez-la entre vos paumes, puis aplatissez-la délicatement du bout des doigts, sur le plan de travail, jusqu'à obtenir un disque de pâte de 2 à 3 mm d'épaisseur. Coupez les bords pour obtenir un carré de 8 à 10 cm de côté. Roulez une noix de pâte d'amande entre vos paumes en forme de saucisse, déposez-la en diagonale sur un coin du carré et repliez celui-ci sur la pâte. Continuez d'envelopper la pâte du bout des doigts jusqu'à former un petit croissant que vous déposez sur une plaque garnie de papier sulfurisé. Procédez de même avec le reste de la pâte et de la farce aux amandes, en farinant à chaque fois le plan de travail.

Faites cuire les cornes de gazelle de 15 à 20 minutes au four, jusqu'à ce qu'elles soient légèrement dorées. Elles ne doivent pas trop prendre couleur. À la sortie du four, roulez-les dans du sucre glace et laissez refroidir. Vous pouvez vous dispenser de cette dernière opération et servir les cornes de gazelles sans sucre glace.

Les îles britanniques

« Sur l'une des dessertes trônaient quatre très gros *barmbracks*. Ces *barmbracks* semblaient intacts ; mais à y regarder de plus près, on voyait qu'ils avaient été découpés en longues tranches épaisses et régulières, prêts à être servis pour le thé. Maria les avait tranchés de sa main. [...] En quelques minutes, les femmes arrivèrent par groupes de deux ou de trois, essuyant leurs mains fumantes à leurs jupons et déroulant les manches de leurs chemisiers sur leurs bras rouges et fumants. Elles s'attablèrent devant leurs énormes chopes que la cuisinière et l'innocente remplirent de thé bouillant, déjà mêlé de sucre et de lait dans d'énormes brocs de fer-blanc. Maria surveillait attentivement la distribution du *barmbrack*, s'assurant que chacune eût ses quatre tranches. [...] Ensuite, Ginger Mooney, tandis que toutes les femmes frappaient la table de leurs chopes en cadence, éleva la sienne et porta un toast à la santé de Maria, regrettant tout haut de ne pouvoir le faire avec une rasade de bière. Et Maria rit de nouveau jusqu'à ce que le bout de son nez touchât presque son menton et à en rompre son corps minuscule, car elle savait que Ginger Mooney ne pensait pas à mal, elle avait juste les manières d'une femme du commun. » JAMES JOYCE, « ARGILE », *DUBLINERS* {1914}.

Les îles britanniques

La longue citation qui précède annonce la couleur. Il ne sera pas question ici de *five o'clock* distingué, de théières en argent, de *high tea* avec scones, confitures et napperons de dentelle. Tout cela est délicieux, mais aussi très connu. Il existe déjà une abondante littérature sur ce sujet et il ne paraît pas nécessaire de le décrire une nouvelle fois.

Je préfère évoquer un autre thé : le thé de base, le thé du peuple, servi en *mug* (chope) et non en tasse de porcelaine fine. La base liquide du régime britannique, un aliment à soi tout seul. Le compagnon de toute heure de la journée, le *tea break* du mécanicien, du mineur, du pêcheur, de l'employé de bureau, du boutiquier. *Tea and two slices*, c'est-à-dire une bonne chope de thé au lait sucré et deux toasts, tel était le déjeuner standard de la classe ouvrière pendant la première moitié du XXᵉ siècle. Un peu de margarine sur tout ça, ou, les jours fastes, du beurre ou une cuillerée de confiture bien étalée sur toute la surface du pain : de l'énergie pour la journée. Quand il restait de la graisse fondue du rôti dominical (*dripping*), elle remplaçait margarine et confiture pour la plus grande joie de tous. George Orwell, dans *The Road to Wigan Pier*, observait avec consternation que le thé occupait dans le budget des ménages pauvres la place qui aurait dû revenir à des denrées plus nourrissantes : « Le chômage est une misère sans fin qui demande à être constamment palliée, principalement avec du thé, l'opium du peuple anglais.

Une tasse de thé ou même un cachet d'aspirine est un bien meilleur stimulant qu'une croûte de pain complet. »

« Je ne crois pas que mes grands-parents paternels, ouvriers et enfants du XIXᵉ siècle, buvaient jamais autre chose que du thé », dit une Londonienne. Depuis son adoption en Grande-Bretagne, le thé a si bien pénétré la société et les usages qu'il est devenu synonyme de repas, de goûter. En Écosse, le mot *tea* signifie « dîner », *dinner* désignant le déjeuner de midi. Le thé élégant a ses sandwichs sans croûte et sa pâtisserie consacrée, mais, plus bas sur l'échelle sociale, il est apte à accompagner toute nourriture.

Carburant quotidien, le thé doit avoir du corps : c'est forcément un thé rouge, et surtout pas un thé d'esthète. On ne se soucie guère de l'origine pourvu que l'infusion soit bien concentrée. D'autant qu'il s'agit le plus souvent de mélanges : les thés qui les composent proviennent d'Inde, de Sri Lanka ou d'Afrique de l'Est (Kenya, Tanzanie). Les mélanges les plus forts sont les catégories *breakfast*, pour le matin. Il en existe des variantes régionales — Écosse, Irlande, pays de Galles. L'Irish Breakfast est réputé être le plus corsé. À l'étranger, c'est celui que recherchent les expatriés pour retrouver le vrai goût du thé britannique. Les crus purs de Chine ou de Darjeeling sont plutôt réservés au *five o'clock*.

L'écrivain Tim Hayward, originaire du pays de Galles, se souvient : « Mon père venait me chercher à l'école le samedi midi, et, pour me faire plaisir, m'emmenait sur les docks pour prendre le thé et voir les ouvriers draguer les fonds sablonneux. [...]

Les îles britanniques

Le thé, déjà mêlé de sucre et de lait, bouillonnait toute la journée. [...] Les dockers le buvaient dans ce qui ressemblait à de gros pots à confiture, et pour les visiteurs il y avait des chopes dépareillées. [...] Je me souviens encore de cette vive couleur sang-de-bœuf, de ce lait bizarre en bouteilles à capsule d'acier et de la façon dont le tanin faisait grincer les dents [...]. Mais je donnerais tous les *single estate* parfaitement infusés, avec leurs notes de champagne, de miel et leur légère note fumée, pour un seul pot à confiture de ce thé-là.

« On m'a suggéré l'autre jour de faire un excellent thé avec des feuilles haut de gamme et une théière à presse Bodum. Excellente idée. Ni sachets ni passoire, nul besoin de chauffer la théière et de touiller treize fois dans le sens des aiguilles d'une montre ; juste quelques cuillerées de darjeeling premier cru et un petit coup de piston. J'en aurais pleuré : le liquide qui coula dans ma tasse était parfait de goût et d'aspect, et totalement dépourvu de résonance émotionnelle ou culturelle.

« C'est là le problème. Le thé n'est rien d'autre que résonance émotionnelle et culturelle sous une forme liquide adéquate. On a bien essayé d'en faire un objet d'expertise, mais en vérité vous pouvez goûter, renifler, humer et cracher tout votre saoul, vous ne serez jamais aussi ému que par une tasse de thé de maçon remué avec une cuillère graisseuse un matin de gueule de bois où vous n'avez pas dormi dans votre lit. La tasse qui nous console d'un chagrin, la tasse de la réconciliation après une dispute féroce, ou la minuscule tasse de fine porcelaine partagée avec grand-mère. Les rituels britanniques du thé n'égalent sans doute pas l'élégance et la majesté des rituels japonais, mais leurs ingrédients, leur déroulement et leurs ustensiles n'en sont pas moins chargés d'un sens solennel. »

Faire un thé *british*

Il vous faut une théière en métal ou en porcelaine, une petite cuillère à thé, du thé rouge {mélange ou origine pure}, de l'eau de source, des tasses, du sucre et du lait {ou de la crème} et, si vous voulez, des tranches de citron.

Faites bouillir l'eau. Ébouillantez la théière, secouez-la d'un geste circulaire, puis videz l'eau. Introduisez une cuillerée de thé par convive et une pour la théière. Versez l'eau dans la théière, couvrez et laissez infuser trois minutes. Ne laissez jamais infuser moins de trente secondes {ce qui fait passer la caféine sans laisser les tanins se développer} et plus de cinq minutes {ce qui fait passer trop de tanins dans le breuvage}. Un thé trop infusé, en anglais, est dit *stewed* {« cuit »}. Son goût est âcre.

Les thés plus délicats comme les darjeelings peuvent être infusés à plus basse température {90 °C} et un peu plus longtemps {jusqu'à 7 minutes}.

Il est bon de prévoir une théière que vous puissiez vider en une fois entre tous vos convives, quitte à refaire du thé à la prochaine tournée, cela afin d'éviter une infusion prolongée. Les thés rouges préparés selon cette technique ne se réinfusent pas.

ÉCOSSE

CE CHOIX DE RECETTES EST INSPIRÉ PAR LES TABLÉES DE PETIT DÉJEUNER ET DE *HIGH TEA* D'ÉCOSSE, DU PAYS DE GALLES, D'IRLANDE ET DU NORD DE L'ANGLETERRE. COMME LE THÉ ACCOMPAGNE TOUT, LE CHOIX EST LARGE. JE ME SUIS CONCENTRÉE SUR DES SAVEURS ET DES TEXTURES TRADITIONNELLES — POISSONS FUMÉS, TOURTES, PUDDINGS — PARTICULIÈREMENT ADAPTÉES AUX THÉS DE CES RÉGIONS. PAR AFFINITÉ DE GOÛTS, ET SELON L'USAGE ÉCOSSAIS, LES PRODUITS DE LA MER OCCUPENT UNE PLACE IMPORTANTE.

EN PLUS DES SUGGESTIONS PARTICULIÈRES ET DES ACCORDS PARFAITS, CES PLATS SONT DESTINÉS À ÊTRE SERVIS AVEC N'IMPORTE QUEL THÉ BRITANNIQUE, MÉLANGE OU ORIGINE PURE.

Flan de poisson
Fish custard

6 petits filets de merlan
3 œufs frais
40 cl de lait entier
50 g de beurre
Quelques branches de persil plat
Sel, poivre du moulin

THÉS
Darjeeling, ceylan, keemun, oolongs de Wuyi

L'ACCORD PARFAIT
Darjeeling *first flush*

Difficulté *
Pour 4 personnes
{2 filets par personne}
Préparation : 10 minutes
Cuisson : 1 heure

Préchauffez le four à 120 °C {th. 4}. Beurrez géné-reusement un petit plat à gratin. Enroulez les filets en spirale et disposez-les dans le plat en veillant à ce que l'ouverture de la spirale soit située vers le haut. Insérez dans chaque ouverture une noi-sette de beurre.

Battez les œufs avec le lait, le sel et le poivre. Versez ce mélange sur les filets de sole sans les déranger. Mettez au four et faites cuire 1 heure, puis saupoudrez de persil plat haché. Pour ser-vir, prenez un filet de poisson avec une cuillère ; un peu de flan doit venir avec. Servez avec des toasts beurrés.

Rillettes de crevettes
Potted shrimp

200 g de crevettes grises ou de bouquets cuits
1 filet de merlan ou de colin de 200 g, sans arêtes
Macis, piment de Cayenne
Extrait d'anchois
Beurre mou
Sel, poivre du moulin

Décortiquez les crevettes et recueillez les têtes et les carapaces dans une casserole. Couvrez-les d'eau à hauteur dans une casserole, salez et faites bouillir 5 minutes sur feu doux. Filtrez le bouillon et faites-y cuire le filet de merlan pendant 2 minutes. Égouttez et laissez refroidir.

Pilez le poisson dans un mortier {ou mixez-le} en ajoutant macis, piment de Cayenne, poivre du moulin et 1 trait d'extrait d'anchois, jusqu'à l'obtention d'une pâte fine et homogène. Rectifiez l'assaisonnement.

Mesurez cette pâte. Comptez presque la même quantité de beurre ramolli et mélangez jusqu'à ce que la pâte soit bien lisse. Ajoutez alors les crevettes entières. Portez à ébullition en remuant, versez dans des bocaux ou dans des pots à rillettes en veillant à ce que le beurre fondu recouvre bien le tout. Laissez refroidir puis gardez au réfrigérateur jusqu'au moment de servir.

Ces « rillettes » se conservent plusieurs jours au frais. Après les avoir servies, tassez-les dans le bocal, faites fondre un peu de beurre et recouvrez-en les rillettes avant de les remettre au réfrigérateur.

THÉS
Ceylan, nilgiri, darjeeling, keemun

L'ACCORD PARFAIT
Ceylan orange pekoe

Difficulté *
Pour 1 bocal de 500 g
Préparation : 40 minutes
Cuisson : 7 minutes
Repos : quelques heures au réfrigérateur

USTENSILES SPÉCIAUX
mortier et pilon {ou mixeur}, pots à rillettes ou bocaux

CES RILLETTES SE PRÉPARENT « AU PIF », D'OÙ L'IMPOSSIBILITÉ DE DONNER DES PROPORTIONS EXACTES. POUR SERVIR, PRÉLEVEZ LES RILLETTES AVEC UNE CUILLÈRE ET DRESSEZ-LES DANS UN PETIT RAVIER. SERVEZ AVEC DES TOASTS GRILLÉS CHAUDS ET UN THÉ CORSÉ, DE PRÉFÉRENCE SANS LAIT ET AVEC CITRON.

ÉCOSSE

Gratin de bigorneaux
Limpet stovies

2 kg de bigorneaux
4 grosses pommes de terre bintje
125 g de beurre
gros sel, poivre noir du moulin

THÉS
Lapsang souchong, keemun,
Scottish ou Irish breakfast.

L'ACCORD PARFAIT
Tarry souchong.

Difficulté *
Préparation : 15 minutes
Décoquillage des bigorneaux :
30 minutes
Cuisson : 1 heure

USTENSILES SPÉCIAUX
aiguille, 4 moules
à soufflé individuels.

Lavez et égouttez les bigorneaux. Couvrez-les d'eau dans une casserole, ajoutez 1 poignée de gros sel, portez à ébullition puis retirez du feu. Égouttez ; filtrez et réservez le liquide de cuisson. À l'aide d'une aiguille, décoquillez les bigorneaux et éliminez les opercules.

Épluchez et lavez les pommes de terre. Coupez-les en tranches fines. Préchauffez le four à 150 °C (th. 5).

Beurrez les moules. Étalez-y 1 couche de pommes de terre, puis 1 couche de bigorneaux. Poivrez généreusement. Recouvrez d'une couche de pommes de terre et d'une autre couche de bigorneaux, et ainsi de suite jusqu'à épuisement des ingrédients et en terminant par une couche de pommes de terre. Versez dans chaque ramequin du bouillon de cuisson à hauteur des pommes de terre, répartissez le beurre sur les 4 ramequins et mettez au four. Faites cuire 1 heure. Servez chaud.

POUR GAGNER DU TEMPS, VOUS POUVEZ FAIRE CUIRE ET DÉCOQUILLER LES BIGORNEAUX QUELQUES HEURES À L'AVANCE, VOIRE LA VEILLE. GARDEZ-LES AU RÉFRIGÉRATEUR DANS LEUR JUS DE CUISSON. FAITES CHAUFFER CELUI-CI AVANT DE LE VERSER DANS LES RAMEQUINS.

Petits pâtés de Pézenas

500 g de pâte brisée maison {voir page 13}

300 g d'épaule d'agneau un peu grasse, finement hachée

100 g de graisse de rognon de veau

2 rognons d'agneau, parés et nettoyés

100 g de cédrat et de citron confits, dans la proportion que vous choisirez

Le zeste de 1 citron frais, finement râpé

100 g de cassonade ou de sucre muscovado

1 blanc d'œuf légèrement battu

Sel, poivre du moulin

THÉS
Ceylan orange pekoe, nilgiri, keemun

L'ACCORD PARFAIT
Earl Grey

Difficulté **

Pour environ 16 petits pâtés
Préparation : 40 minutes
Repos : 24 heures
Cuisson : 30 minutes

USTENSILES SPÉCIAUX
une plaque à mini-muffins contenant au moins 16 alvéoles, ou 16 petits moules {les minipots à confiture des petits déjeuners d'hôtel sont parfaits, je vous engage à les collectionner}.

Hachez très finement le cédrat et le citron confits au couteau, la graisse de rognon et les rognons d'agneau au robot ou au hachoir. Mélangez le tout avec la viande hachée, les zestes râpés et la cassonade. Salez et poivrez généreusement. Recouvrez de film étirable « au contact », c'est-à-dire en appliquant le film directement sur la farce, et gardez 24 heures au réfrigérateur.

Le lendemain, préchauffez le four à 160 °C {th. 5-6}. Étalez la pâte brisée finement, à 2-3 mm d'épaisseur environ. Découpez-y 16 disques de 7 cm de diamètre et 16 disques de 5 cm de diamètre. Garnissez les moules des abaisses de 7 cm en faisant dépasser la pâte sur les bords. Remplissez de farce à ras bord, mouillez très légèrement le bord de la pâte et appliquez les abaisses restantes. Pressez légèrement pour souder, percez une petite cheminée au sommet de chaque pâté, dorez au blanc d'œuf battu et faites cuire 30 minutes au four en surveillant bien la coloration de la pâte. Si elle colore trop, baissez la température et prolongez la cuisson. Dégustez tiède.

POURQUOI CES PÂTÉS DANS LA SECTION BRITANNIQUE ? PARCE QU'ILS SONT ANGLAIS, VERSION MINIATURE DE LA *WESTMORLAND PIE*. SI, AU SIÈCLE DES LUMIÈRES, UN LORD EX-GOUVERNEUR DES INDES N'ÉTAIT PAS ALLÉ SE FAIRE SOIGNER À MONTPELLIER, ET N'EÛT PAS EMMENÉ DANS SA SUITE UN TALENTUEUX CUISINIER INDIEN, LE LANGUEDOC N'AURAIT JAMAIS CONNU CES PETITES BOUCHÉES À L'AGNEAU. SI VOUS NE TROUVEZ PAS LES ÉCORCES CONFITES, REMPLACEZ-LES PAR DE LA MARMELADE D'ORANGE AMÈRE EN HACHANT BIEN LES ÉCORCES.

Barmbrack

1 cuillerée à soupe de thé Earl Grey / 150 g de fruits secs mélangés {raisins de Smyrne, raisins de Corinthe, zestes d'agrumes confits et/ou angélique confite coupés en petits cubes, etc.} / 25 cl de lait tiède / 60 g de sucre semoule {prélever 2 cuillerées à café pour la levure} / 1 cube de levure de boulanger fraîche ou 1 sachet de levure lyophilisée / 350 g de farine {prévoir un peu plus} / 1 cuillerée à café de sel / 1/2 cuillerée à café de cannelle en poudre / 1/2 cuillerée à café de clous de girofle en poudre / 2 pincées de muscade râpée / 1 œuf / 100 g de beurre mou + un peu pour le saladier • DORURE : 1 jaune d'œuf battu avec 2 cuillerées à soupe de lait

Versez 35 cl d'eau bouillante sur le thé et laissez infuser 3 minutes. Versez le thé très chaud à travers une petite passoire sur les fruits secs recueillis dans un bol et laissez tremper 3 heures {vous pouvez les faire tremper la veille}.

Égouttez les fruits secs. Faites tiédir le lait, mélangez-le dans un bol avec 2 cuillerées à café de sucre et la levure émiettée. Laissez reposer 5 minutes.

Tamisez la farine avec le sucre, le sel et les épices dans un grand saladier. Creusez un trou au centre, ajoutez le mélange à la levure, l'œuf et le beurre. Mélangez en tournant à partir du centre jusqu'à obtention d'une pâte souple. Rectifiez la consistance avec un peu de farine ou de lait selon le cas. Renversez la pâte sur un plan de travail et pétrissez environ 5 minutes. Incorporez les fruits secs petit à petit en pétrissant. Lorsque la pâte est lisse mais encore un peu collante, rincez et essuyez le saladier, beurrez-le généreusement et remettez-y la pâte. Couvrez de film étirable et laissez lever dans un endroit chaud pendant environ 2 heures, jusqu'à ce que la pâte ait doublé de volume.

Renversez-la sur un plan fariné et pétrissez-la encore quelques minutes. Donnez-lui une forme oblongue et déposez-la dans un moule à cake. Couvrez d'un linge propre et laissez lever de nouveau. Préchauffez le four à 200 °C {th. 6-7}. Quand la pâte a doublé de volume, badigeonnez-la de dorure à l'œuf, enfournez et faites cuire environ 35 minutes. Lorsque la brioche sonne creux lorsqu'on la frappe avec une cuillère, elle est cuite. Démoulez et laissez refroidir sur une grille.

THÉS
Irish Breakfast, darjeeling
second flush, assam

L'ACCORD PARFAIT
Earl Grey avec du lait

Difficulté **

Pour 1 moule à cake
de 26 cm environ
Préparation : 25 minutes
Trempage des fruits secs :
3 heures
Levée : 2 heures
Cuisson : 35-40 minutes

USTENSILES SPÉCIAUX
un moule à cake de
26 à 30 cm de longueur,
un pinceau à pâtisserie

APPELÉE EN GAÉLIQUE *BAÍRÍN BREAC* {« PAIN LEVÉ »}, CETTE BRIOCHE EST SERVIE EN IRLANDE LORS DE LA FÊTE D'HALLOWEEN. ELLE SE DÉGUSTE AVEC LE THÉ, COUPÉE EN TRANCHES, BEURRÉE ET PARFOIS TOASTÉE.

Tartelettes aux pommes et au gingembre

300 g de pâte brisée maison {voir page 13}
4 petites pommes reinettes
3 cuillerées à soupe de sucre ou de miel liquide
20 g de beurre
1 cuillerée à café rase de gingembre en poudre
1/2 cuillerée à café de poivre du moulin
1/2 cuillerée à café de poudre de quatre-épices
50 g de gingembre confit en gros morceaux

THÉS
Darjeeling, assam,
ceylan, nilgiri

L'ACCORD PARFAIT
Darjeeling *first flush*

Difficulté *
Pour 8 mini-tartelettes
Préparation : 25 minutes
Cuisson : 35 minutes

USTENSILES SPÉCIAUX
8 moules à tartelette de 7-8 cm
de diamètre au maximum.
Vous pouvez aussi utiliser
de petits moules à manqué
ou à *pasteis* portugais {qui sont
en fait des mini-tourtières}

Préchauffez le four à 180 °C {th. 6}.

Mélangez le sucre ou le miel, le gingembre, le poivre et la poudre de quatre-épices.

Pelez les pommes en les laissant entières, retirez le cœur avec un vide-pommes. Disposez-les debout dans un plat à four et remplissez la partie creuse du mélange sucre-épices. Déposez la moitié du beurre sur chaque pomme. Faites cuire 15 minutes au four ; les pommes doivent rester fermes. Laissez-les tiédir, puis coupez-les en deux. Gardez le sirop recueilli dans le plat.

Coupez le gingembre confit en cubes réguliers de 3-4 mm environ.

Étalez finement la pâte brisée. Garnissez-en les moules à tartelette. Placez 1/2 pomme dans chaque fond de tartelette, arrosez du reste de sirop, parsemez de petits cubes de gingembre confit et terminez la cuisson au four {180 °C} pendant 20 minutes, jusqu'à ce que les bords de la pâte soient dorés. Servez tiède ou froid.

C'EST UNE RECETTE MÉDIÉVALE FORTE EN ÉPICES QUE VOUS POUVEZ AUSSI PRÉPARER AVEC DES COINGS, À CONDITION DE CUIRE CEUX-CI PLUS LONGTEMPS AU FOUR : 1 HEURE ENVIRON À 150 °C {TH. 5}.

Sticky toffee pudding

200 g de dattes medjool
3 cuillerées à soupe de mélasse {en magasin bio}
1 cuillerée à café d'extrait de vanille
200 g de farine
1 cuillerée à café de bicarbonate de soude
1 cuillerée à café de levure chimique
60 g de beurre mou + un peu pour les verres
175 g de sucre muscovado
2 gros œufs

LA SAUCE
40 g de beurre
50 g de sucre muscovado
10 cl de crème liquide

Coupez les dattes en morceaux. Faites-les bouillir 5 minutes avec 15 cl d'eau, laissez tiédir, puis ajoutez la mélasse et l'extrait de vanille. Tamisez la farine avec le bicarbonate et la levure chimique.

À l'aide d'un batteur électrique, battez le beurre avec le sucre jusqu'à obtention d'une crème légère. Ajoutez les œufs un à un, puis la farine délicatement, à l'aide d'une spatule. Ajoutez enfin le mélange aux dattes.

Beurrez généreusement l'intérieur des 4 verres en Duralex. Répartissez-y le mélange. Couvrez hermétiquement d'aluminium et liez la feuille autour de chaque verre avec trois tours de ficelle solidement nouée. Posez les verres dans le panier d'une marmite à vapeur contenant de l'eau bouillante, couvrez, baissez le feu et faites cuire 25 minutes à vapeur douce.

Pendant ce temps, préparez la sauce. Faites fondre le beurre dans une casserole, ajoutez le sucre muscovado et la crème, faites fondre sur feu doux et portez à ébullition, puis baissez le feu. Faites cuire environ 3 minutes jusqu'à obtention d'une sauce épaisse et sirupeuse.

Quand les puddings sont cuits, sortez-les de la marmite, retirez l'aluminium et démoulez-les. Versez la sauce sur les puddings et servez chaud.

ON PEUT PRÉPARER CE CLASSIQUE ANGLAIS AU FOUR OU À LA VAPEUR. JE PRÉFÈRE LA VAPEUR, QUI DONNE UN RÉSULTAT PLUS LÉGER, PLUS MOELLEUX ET PLUS SAVOUREUX. LE BON VIEUX VERRE ROND EN DURALEX DE NOS CANTINES FAIT UN EXCELLENT MOULE À PUDDING DE CE CÔTÉ-CI DE LA MANCHE. VOUS POUVEZ AUSSI CUIRE LES PUDDINGS DANS LE PANIER D'UN AUTOCUISEUR {10 MINUTES DE CUISSON}.

THÉS
Lapsang souchong, assam

L'ACCORD PARFAIT
Earl Grey avec du lait

Difficulté **
Pour 4 puddings individuels
Préparation : 25 minutes
Cuisson : 35 minutes

USTENSILES SPÉCIAUX
cuit-vapeur ou couscoussier, 4 verres ronds en Duralex de 20 cl de contenance ; feuille d'aluminium ; ficelle de cuisine

Puddings au chocolat

70 g de chocolat noir
300 g de farine à gâteaux {autolevante}
1/2 cuillerée à café de bicarbonate de soude
5 œufs
300 g de beurre mou
300 g de sucre semoule
1 cuillerée à café d'extrait de vanille
1 cuillerée à café de café fort
1 ou 2 cuillerée à soupe de lait {facultatif, voir recette}
Crème fraîche

THÉS
Darjeeling *second flush*,
ceylan, nilgiri,
mélanges breakfast

L'ACCORD PARFAIT
Assam

Difficulté **

Pour 6 puddings individuels
{6 verres ronds Duralex}
Préparation : 25 minutes
Cuisson : 20 minutes

USTENSILES SPÉCIAUX
cuit-vapeur ou couscoussier,
4 verres ronds en Duralex de
20 cl de contenance ; feuille
d'aluminium ; ficelle de
cuisine

Cassez le chocolat en petits morceaux et faites-le fondre au bain-marie. Lissez-le bien avec une spatule.

À l'aide d'un batteur électrique, battez le beurre avec le sucre jusqu'à obtention d'une crème légère. Ajoutez les œufs un à un, puis la farine délicatement, à l'aide d'une spatule. Ajoutez enfin le chocolat, le café et l'extrait de vanille. Si le mélange vous semble encore trop épais, ajoutez un peu de lait.

Beurrez généreusement l'intérieur des 6 verres Duralex. Répartissez-y le mélange. Couvrez hermétiquement d'aluminium et liez la feuille autour de chaque verre avec trois tours de ficelle solidement nouée. Posez les verres dans le panier d'une marmite à vapeur contenant de l'eau bouillante, couvrez, baissez le feu et faites cuire 20 minutes à vapeur douce. Idéalement, le cœur des puddings doit être encore un peu liquide.

Quand les puddings sont cuits, sortez-les de la marmite, retirez l'aluminium et démoulez-les. Servez chaud avec de la crème fraîche.

LA MÊME CHOSE, EN PLUS SIMPLE ET EN MOINS SPECTACULAIRE, MAIS *AU CHOCOLAT*, CE QUI ME PARAÎT SUFFIRE COMME EXCUSE. MÊMES RECOMMANDATIONS DE CUISSON QUE POUR LA RECETTE PRÉCÉDENTE.

Les États-Unis

Les premiers colons hollandais, débarqués au XVIIe siècle, n'avaient pas attendu l'arrivée des Anglais pour boire du thé. Lorsque ceux-ci prirent possession de New Amsterdam {qu'ils se préparaient à rebaptiser New York}, la ville consommait plus de thé que toute l'Angleterre réunie. Un siècle plus tard, sur la côte Est, les taxes sur le thé étaient si élevées que les colons préféraient le thé importé de Hollande. L'East India Company essaya alors de vendre directement aux colons, sans passer par les détaillants. Mais les femmes, principales consommatrices, exhortèrent le peuple à refuser le thé des oppresseurs. Le 16 décembre 1767, un groupe de Bostoniens déguisés en Indiens jetèrent 150 kilos de thé dans l'eau du port. La *Boston Tea Party* venait d'avoir lieu, déclenchant toute une suite de réactions qui mena à la guerre d'Indépendance américaine.

Ce grand repère historique a donné lieu à un préjugé encore tenace. Les Américains, croit-on, se méfieraient du thé en tant que symbole de l'ancien pouvoir colonial. On ne saurait être plus éloigné de la vérité. D'abord, il est évident que le thé a joué un rôle de premier plan dans les événements qui ont conduit la nation à l'indépendance. On voit mal comment une marchandise anodine pourrait le faire. Ensuite, après l'indépendance des États-Unis, le commerce du thé reprit de plus belle, avec des moyens nouveaux. Les clippers yankees se révélèrent plus fins et plus rapides que les navires anglais. Les premières grandes fortunes américaines se firent sur le thé, comme celle du New-Yorkais John Jacob Astor, qui permit d'armer le pays pour la guerre de 1812. Le commerce avec la Chine était d'autant plus florissant que les négociants américains, au xixᵉ siècle, ne se livrèrent jamais au commerce de l'opium que pratiquaient les Britanniques. Instaurant des relations commerciales fondées sur le respect, ils réussirent à briser le monopole anglais.

Bien que n'ayant jamais essayé de cultiver le thé ni de créer de grands mélanges nationaux, l'Amérique reste un grand pays du thé. Longtemps, comme l'Europe, elle s'intéressa surtout au thé rouge. Depuis quelques années, le souci de santé propre à la société américaine a intensifié le commerce des thés verts, oolongs et blancs de Chine et des thés verts du Japon. Réputés antioxydants, anti-âge, toniques, amincissants, vitaminés, ces thés apparaissent comme une sorte de panacée, ou, plus raisonnablement, comme un bon moyen pour s'éloigner de l'alcool, du café, des sodas gazeux et sucrés. La marque américaine de thés Tazo a été rachetée en 2006 par le géant Starbucks,

ce qui démontre la bonne santé économique de la boisson.

Actuellement, les Américains sont les plus gros acheteurs de thés en provenance d'Asie orientale et comptent bon nombre d'amateurs éclairés, voire de fanatiques. Cet immense marché américain n'est d'ailleurs pas sans attirer l'attention des Indiens, lesquels, en bons commerçants, s'efforcent de produire — pour la première fois de leur histoire — des thés verts, oolongs et blancs. Mais il n'est pas si facile d'égaler les Chinois dans ce savoir-faire, et surtout d'obtenir leurs secrets. À Paris, lors de la foire au thé d'octobre 2006, des producteurs indiens n'hésitaient pas à faire goûter leurs darjeelings et leurs assams, mais leurs thés blancs, verts et oolongs restaient sagement dans leurs boîtes. Un peu d'insistance provoquait la réponse : *Oh, it's for the American market !*

Le thé traditionnel américain ne diffère guère du thé anglais. La boisson se prépare en théière de porcelaine ou de métal, à base de crus ou de mélanges classiques à l'européenne : breakfast, orange pekoe, assam, darjeeling, Earl Grey, etc. L'admiration, la nostalgie toujours vive des dames américaines pour la culture anglaise a fait du thé une boisson plutôt féminine et plutôt pour l'après-midi. C'est aussi l'après-midi que, à partir de 1910, les « thés dansants » {*tea dances*} furent institués dans les hôtels pour permettre à la jeunesse de faire connaissance. Autre invention étatsunienne : le thé en sachets, inspiré par les échantillons que laissaient les vendeurs de thés aux hôtels et aux restaurants. Mais la véritable invention américaine, le thé que cette nation peut revendiquer tête haute, c'est le thé glacé.

Difficulté * Pour 4 à 6 personnes / Préparation : 10 minutes

Thé glacé

Eau de source
8 cuillerées à café de thé orange pekoe
1 citron non traité
Glaçons
Sucre à volonté

Ébouillantez une grande théière en porcelaine,
puis videz-la. Ajoutez le thé, couvrez d'un litre
d'eau bouillante, couvrez la théière et laissez
infuser 5 minutes. Si vous préparez le thé à
l'avance, filtrez-le mais ne le gardez pas au
réfrigérateur, ce qui le troublerait.

Versez le thé dans de grands verres remplis
de glaçons, ajoutez une tranche de citron ou
une feuille de menthe, et servez avec du sucre
semoule à part.

La médiatrice

12 à 18 {selon leur taille} petites
huîtres spéciales assez grasses
2 ficelles bien fraîches
50 g de beurre fondu
Huile pour friture
1 jaune d'œuf
1 cuillerée à soupe de jerez sec
1 assiette de farine
1 assiette de polenta fine
3 cuillerées à soupe de crème fraîche
épaisse
1 trait de Tabasco
Le jus de 1/2 citron
Sel, poivre du moulin

THÉS
Ceylan, assam,
darjeeling, keemun, lapsang
souchong, *biluochun*

L'ACCORD PARFAIT
Thé japonais *gyôkuro*

Difficulté ✱✱
Pour 4 à 6 personnes
Préparation : 20 minutes
Cuisson : 10 minutes

USTENSILES SPÉCIAUX
Couteau à huîtres,
pinceau, plaque à
pâtisserie, friteuse
ou bassine à friture

Ouvrez les huîtres et égouttez-les dans une passoire. Gardez le jus.

Préchauffez le four à 220 °C {th. 7-8}. Faites chauffer un bain de friture. Battez le jaune d'œuf avec le jerez, le sel et le poivre. Préparez les assiettes de farine et de polenta.

À l'aide d'un couteau-scie, tranchez horizontalement le tiers supérieur de chaque ficelle de façon à obtenir un couvercle sur toute la longueur. Retirez presque toute la mie des ficelles et badigeonnez tout l'intérieur {les couvercles aussi} de beurre fondu. Posez-les sur une plaque côté beurré vers le haut et faites griller sans coloration {5 minutes environ}.

Pendant ce temps, passez les huîtres égouttées dans la farine, puis dans le jaune d'œuf battu, puis enfin dans la polenta. Faites-les frire dans l'huile jusqu'à ce qu'elles soient dorées et croustillantes. Retirez-les avec une écumoire et égouttez-les sur du papier absorbant. Salez et poivrez.

Garnissez chaque ficelle creuse de 6 à 9 huîtres selon leur taille. Faites rapidement tiédir la crème avec un peu de Tabasco, et arrosez les sandwichs de cette sauce. Ajoutez enfin quelques gouttes de jus de citron et refermez les sandwichs.

Coupez chaque sandwich en 4, 6 ou 8 morceaux selon la façon dont vous comptez les servir. Servez chaud.

EN D'AUTRES LIEUX, ON OFFRE À MADAME DES ROSES ET DES CHOCOLATS. AU XIXE SIÈCLE, LES GENTLEMEN CRÉOLES DE LA NOU-VELLE-ORLÉANS OFFRAIENT DES SANDWICHS AUX HUÎTRES. LE SOIR, APRÈS AVOIR PASSÉ TROP DE TEMPS À JOUER AUX CARTES {POUR NE PAS DIRE PIRE}, ILS ACHETAIENT CES « MÉDIATRICES » DANS LES BARS À HUÎTRES DE LA VILLE ET LES RAP-PORTAIENT À LEURS ÉPOUSES, ESPÉRANT AINSI PRÉSERVER LA PAIX DANS LEUR MÉNAGE. CONTI-NUERIEZ-VOUS À EN VOULOIR À UN HOMME QUI VOUS TENDRAIT UN TRONÇON DE BAGUETTE CROUS-TILLANTE FOURRÉ D'HUÎTRES FRITES BIEN DORÉES ? LA QUESTION RESTE POSÉE. SELON UNE AUTRE TRADITION MOINS CONNUE, LES PARENTS FÊTARDS DE LA NOUVELLE-ORLÉANS, AU PETIT MATIN, RAPPOR-TAIENT CETTE FRIANDISE À LEURS ENFANTS POUR LES RASSURER.

TOUT SANDWICH QU'ELLE EST, LA MÉDIATRICE EST UNE PRÉPARA-TION ASSEZ COMPLEXE. COMME LE DISAIT LE GRAND GASTRONOME AMÉRICAIN JAMES BEARD, « IL N'Y A RIEN DE PLUS SOUS-ESTIMÉ QU'UN BON SANDWICH. » MÊME SI SES AMATEURS D'AUTREFOIS AVAIENT SOUVENT UN PEU POUSSÉ SUR LE BOURBON, CE METS S'AC-CORDE PARFAITEMENT AVEC UN THÉ BIEN CORSÉ.

Coquilles Saint-Jacques grillées

8 noix de saint-jacques très fraîches,
avec leur corail
1 gousse d'ail fendue en deux
100 g de beurre fondu
1 pincée de piment de Cayenne
1 cuillerée à café de paprika
1 cuillerée à café de farine
1 citron non traité
Fleur de sel, poivre blanc du moulin

THÉS
Mélanges breakfast,
assam, oolong « feu de
bois » {*shui xian*},
pouchong de Taiwan

L'ACCORD PARFAIT
Orange pekoe avec
une tranche de citron

Difficulté *
Pour 4 personnes
Préparation : 10 minutes
Cuisson : 7-10 minutes

Préchauffez le gril du four.

Frottez d'ail tout l'intérieur d'un plat à four, ajoutez la moitié
du beurre fondu et répartissez celui-ci dans le plat. Déposez-
y les saint-jacques. Saupoudrez-les de fleur de sel et de poivre
blanc. Mélangez la farine, le cayenne et le paprika, saupoudrez les saint-jacques de ce mélange, puis arrosez du reste
de beurre fondu.

Passez le tout de 7 à 10 minutes sous le gril, ou jusqu'à ce
que la surface des coquilles soit dorée. Ne faites pas trop
cuire. Servez avec des quartiers de citron.

CETTE VIEILLE RECETTE DE NOUVELLE-ANGLETERRE MET EN VALEUR EN TOUTE SIMPLICITÉ LES COQUILLES
SAINT-JACQUES DES EAUX FROIDES DE LA RÉGION. LA PROPORTION DE DEUX NOIX PAR PERSONNE EST PRÉVUE
COMME ÉLÉMENT D'UN *HIGH TEA*, D'UN *BREAKFAST* OU D'UN *BRUNCH*. POUR UN PLAT À PART ENTIÈRE, COMPTEZ
QUATRE NOIX. COMME VOUS LE VOYEZ DANS LA LISTE DES INGRÉDIENTS, JE MILITE {À REBOURS DE LA MODE
ACTUELLE} POUR LES COQUILLES AVEC CORAIL, CE QUI N'A POUR VOUS AUCUN CARACTÈRE D'OBLIGATION.

Foies de volaille de la 6ᵉ Avenue

THÉS
Assam, thé turc,
darjeeling d'automne,
lapsang souchong,
pu-erh cuit

L'ACCORD PARFAIT
Mélanges russes

Difficulté **
Pour 6 personnes
Préparation : 30 minutes
Cuisson : 10-15 minutes

NOTE
Pour obtenir de la graisse
de volaille, chaque fois que
vous faites rôtir un poulet,
retirez les masses de graisse
à l'intérieur de la cavité
ventrale, près du croupion.
Faites-les fondre doucement
dans une petite casserole
jusqu'à ce que toute la
graisse soit extraite. Filtrez
et gardez au réfrigérateur.
Recommencez l'opération
au prochain poulet jusqu'à
ce que vous ayez une quantité
suffisante de graisse.
Pour compléter celle-ci,
vous pouvez recueillir la
graisse fondue de vos poulets
ou de vos chapons rôtis, une
fois refroidie et solidifiée.

500 g de foies de volaille bien frais,
nettoyés et dénervés
environ 150 g de graisse de poulet {voir note}
1 gros oignon
2 ou 3 œufs durs {selon votre goût}
Sel, poivre du moulin

Faites fondre la graisse de poulet dans une petite casserole. Écalez les œufs durs. Hachez l'oignon.

Faites frire l'oignon dans 4 cuillerées à soupe de graisse de poulet jusqu'à ce qu'il soit bien doré. Ajoutez les foies de volaille et faites cuire environ 5 minutes sur feu moyen, jusqu'à ce qu'ils soient bien cuits. Salez et poivrez. Laissez tiédir ; pendant ce temps, écalez les œufs durs.

Déposez les foies de volaille, les oignons et les œufs durs écalés sur une grande planche à découper et hachez-les finement au couteau. Ne les mixez pas. Quand vous obtenez un mélange fin et homogène, recueillez le tout dans un saladier. Mélangez vivement avec une fourchette tout en ajoutant peu à peu le reste de graisse de poulet. Goûtez et rectifiez l'assaisonnement : le mélange doit être bien salé et poivré.

Mettez le tout dans une terrine et laissez refroidir au réfrigérateur. Si vous désirez conserver la préparation {environ 2 semaines au réfrigérateur}, mettez-la dans des bocaux de verre et couvrez de graisse de poulet fondue. Fermez hermétiquement.

Servez sur de fins toasts de pain grillé, avec une salade verte.

LES *CHOPPED CHICKEN LIVERS* SONT UN CLASSIQUE DE LA CUISINE JUDÉO-RUSSO-NEW-YORKAISE. VOICI LA RECETTE DU 6TH AVENUE DELI, MAINTENANT DISPARU. LA GRAISSE DE POULET EST OBLIGATOIRE {PLUS IL Y EN A, MEILLEUR C'EST}. EN L'ABSENCE DE FOURNISSEUR SPÉCIAL, JE VOUS INDIQUE UNE MÉTHODE POUR VOUS EN PROCURER.

Pain à la cacahuète

60 g de sucre
1 cuillerée à café 1/2 de levure chimique
1/2 cuillerée à café de bicarbonate de soude
225 g de farine
1/2 cuillerée à café de sel
15 cl de lait entier
2 cuillerées à soupe de miel d'acacia liquide
120 g de cacahuètes grillées, décortiquées et pelées
Huile d'arachide

Préchauffez le four à 180 °C {th. 6}. Beurrez ou huilez le moule à cake. Mixez finement les cacahuètes.

Mélangez le sucre, la farine, la levure chimique, le bicarbonate et le sel. Disposez-les en fontaine.

Mélangez d'autre part le lait et le miel, si nécessaire en les faisant légèrement tiédir. Versez-les au creux de la fontaine et incorporez-les aux ingrédients secs en tournant avec une spatule. Ajoutez les cacahuètes. Versez la pâte dans le moule. Faites cuire environ 40 minutes, ou jusqu'à ce qu'une lame enfoncée dans le cake en ressorte propre.

Dégustez tiède, en tranches, avec du beurre frais ou demi-sel.

THÉS
Darjeeling, Earl Grey,
orange pekoe,
grand yunnan, keemun

L'ACCORD PARFAIT
Tarry souchong

Difficulté *
Pour 4 à 6 personnes

Préparation : 15 minutes
Cuisson : 40 minutes

USTENSILES SPÉCIAUX
un moule à cake de
22 à 24 cm de longueur

NOTE
Il s'agit non pas
d'un cake mais d'un pain.
Il accompagne très bien
les poissons fumés.

J'AI ADAPTÉ CETTE SPÉCIALITÉ DU GRAND SUD EN EMPLOYANT DES INGRÉDIENTS À LA PORTÉE DE TOUS : SI L'ON REMPLACE LE *GOLDEN SYRUP* PAR DU MIEL LIQUIDE ET LES CACAHUÈTES CRUES PAR DES CACAHUÈTES GRILLÉES, ON OBTIENT UN RÉSULTAT PLUS RICHE EN SAVEUR QUE L'ORIGINAL. SI VOUS NE TROUVEZ QUE DES CACAHUÈTES SALÉES, PAS DE PROBLÈME, MAIS DIMINUEZ LA QUANTITÉ DE SEL.

Corned beef hash
et œuf poché

400 g de corned-beef en boîte
4 pommes de terre charlotte,
cuites la veille dans leur peau
1 gros oignon
Saindoux, beurre ou huile
4 gros œufs très frais
un peu de vinaigre blanc
4 tranches de pain au levain
Sel, poivre du moulin

THÉS
Mélanges breakfast,
assam, ceylan, kenya

L'ACCORD PARFAIT
Irish Breakfast

Difficulté **
Pour 4 personnes
Préparation : 20 minutes
Cuisson : 10 minutes

USTENSILES SPÉCIAUX
un poêlon en fonte ou
une poêle antiadhésive ;
un robot

Épluchez l'oignon et les pommes de terre. Hachez très finement, au couteau ou dans un robot, le corned-beef, l'oignon et les pommes de terre. Versez le hachis dans un saladier, ajoutez 3 cuillerées à soupe d'eau froide, le sel et le poivre. Mélangez soigneusement.

Dans le fond d'un poêlon en fonte ou d'une poêle antiadhésive, faites fondre 4 cuillerées à soupe de saindoux, de beurre ou d'huile. Étalez-y le hachis en le façonnant en forme de boudin aplati et en le pressant bien contre le fond du récipient. Laissez cuire sur feu doux sans y toucher, environ 10-15 minutes. Quand une croûte bien dorée s'est formée en dessous, retournez le hachis et refaçonnez-le en boudin en le pressant bien contre le fond. Faites-le ainsi dorer sur toutes les faces en le retournant 2 ou 3 fois. Vous devez obtenir une galette croustillante. Gardez-la au chaud dans la poêle.

Pendant la fin de la cuisson du hachis, faites pocher les œufs : versez de l'eau dans une poêle antiadhésive. Ajoutez 1 cuillerée à café de vinaigre blanc. Portez à petit frémissement {des bulles doivent couvrir le fond de la poêle}. Cassez chaque œuf dans une louche et déposez-le délicatement dans l'eau, puis retirez du feu, couvrez et laissez reposer 10 minutes.

Faites griller les tranches de pain. Égouttez les œufs pochés en les retirant de l'eau sur une spatule à poisson et en posant celle-ci quelques secondes sur un tampon de papier absorbant. Ébarbez les œufs pochés pour qu'ils aient une forme régulière.

Découpez le hachis de corned-beef en quatre portions, dressez-le sur 4 assiettes avec un œuf poché à cheval et un toast à côté. Servez immédiatement.

NE VOUS LAISSEZ PAS INFLUENCER PAR UNE LECTURE RAPIDE DES INGRÉDIENTS : CE PLAT D'APPARENCE FRUSTE EST UN DES SOMMETS DE LA CUISINE DE PETIT DÉJEUNER. IL EST RECOMMANDÉ EN HIVER, POUR LES PETITES HEURES DU MATIN OU POUR UN BRUNCH DE GRAND FROID. DÉCONSEILLÉ L'APRÈS MIDI.

Tourte à la patate douce

3 patates douces à chair orangée
3 rouleaux de pâte brisée pur beurre préétalée
{ou 3 abaisses de pâte brisée, soit 1 fois 1/2 la recette de la page 13}
120 g de beurre
220 g de sucre muscovado
1 cuillerée à café de poudre de quatre-épices
3 cuillerées à soupe de rhum brun

THÉS
Ceylan, assam, darjeeling

L'ACCORD PARFAIT
Earl Grey avec sucre et lait

Difficulté ***
Pour 6 à 8 personnes
Préparation : 40 minutes
Cuisson : 45 minutes

USTENSILES SPÉCIAUX
Une plaque à pâtisserie antiadhésive ; un grand moule à manqué ou une grande tourtière. Placez deux grilles ou deux plaques dans votre four au moment de le préchauffer

Préchauffez le four à 190 °C {th. 6-7}.

Pelez, lavez les patates douces. Coupez-les en tranches de 5 à 7 mm d'épaisseur. Faites-les cuire 10 minutes à l'eau bouillante salée, puis égouttez-les dans une passoire pendant 15 minutes.

Déroulez une abaisse. Découpez-la en bandes de 3 cm d'épaisseur. Posez-les sur une plaque à pâtisserie et mettez au four. Garnissez le moule d'une deuxième abaisse, piquez le fond avec une fourchette et mettez au four. Faites cuire entre 12 et 15 minutes, jusqu'à ce que la pâte colore légèrement.

Sortez la plaque et le moule du four. Déposez sur le fond de tourte cuit à blanc la moitié des patates douces. Saupoudrez de la moitié du sucre et des quatre-épices, et recouvrez de la moitié du beurre. Recouvrez cette couche de bandelettes de pâte entrecroisées comme une grille. Recouvrez du reste de patates douces ; ajoutez le reste de sucre, de quatre-épices et de beurre.

Recouvrez enfin le tout de la troisième abaisse de pâte. Scellez bien les bords sur tout le pourtour. Percez une petite ouverture au centre de la tourte et versez-y le rhum à l'aide d'un entonnoir. Mettez au four.

Faites cuire 5 minutes à 190 °C, puis baissez la température à 160 °C {th. 5-6} et faites cuire encore 30 minutes.

VOICI UNE ANCIENNE RECETTE DE LA TOURTE LA PLUS APPRÉCIÉE DU SUD DES ÉTATS-UNIS. IL EST IMPORTANT D'UTILISER DE LA PATATE DOUCE À CHAIR ORANGÉE ; CELLE À CHAIR BLANCHE N'A NI LE GOÛT NI LA CONSISTANCE DÉSIRÉS. LA PRÉPARATION « EN ÉTAGES » EST UN PEU COMPLIQUÉE, MAIS NE LA BÂCLEZ PAS : CETTE TOURTE MÉRITE VRAIMENT SA RÉPUTATION. SI VOUS VOULEZ FAIRE VOUS-MÊME LA PÂTE BRISÉE, AUGMENTEZ LES PROPORTIONS DE VOTRE RECETTE DE FAÇON À OBTENIR TROIS ABAISSES DE PÂTE.

Flan cubain au fromage blanc

60 g de sucre

20 cl de lait concentré sucré {1/2 boîte}

20 cl de lait entier

2 gros œufs

120 g de cream cheese {Philadelphia}

ou 6 carrés de Kiri

1 cuillerée à café d'extrait de vanille naturelle

THÉS
Darjeeling, ceylan,
orange pekoe

L'ACCORD PARFAIT
thé rouge chinois à la rose

Difficulté *
Pour 4 à 6 personnes
{1 moule à cake de 22-24 cm
de longueur}
Préparation : 20 minutes
Cuisson : environ 1 heure

USTENSILES SPÉCIAUX
un grand plat pouvant
servir de bain-marie
au four, un moule à cake de
15 cm de longueur,
un robot ou un mixeur.

Préchauffez le four à 200 °C {th. 6-7}.

Dans un petit plat, mouillez le sucre avec 1 cuillerée à soupe d'eau et faites-le cuire en caramel. Versez ce caramel dans le moule à cake, en tournant et inclinant celui-ci de façon à bien en napper le fond.

Dans le bol d'un robot ou d'un mixeur, réunissez le lait concentré sucré et le lait entier. Mixez pour mélanger, puis ajoutez le fromage par petits morceaux, tout en mixant jusqu'à obtention d'un mélange homogène. Ajoutez enfin les œufs et l'extrait de vanille. Versez le tout dans le moule caramélisé et posez celui-ci dans un grand plat à four. Remplissez celui-ci d'eau frémissante jusqu'à mi-hauteur du moule. Faites cuire 10 minutes au four, puis baissez la température à 160 °C {th. 5-6} et faites cuire de 45 minutes à 1 heure, jusqu'à ce qu'une lame enfoncée dans le flan ressorte propre.

Laissez refroidir dans le moule, puis démoulez et découpez en carrés pour servir.

S'IL RESTE UNE PLACE À LA FIN D'UN BRUNCH, OU POUR UN THÉ DE SOIRÉE.

EXEMPLES DE MENUS

LE PRINCIPE DE CES MENUS CONSISTE À RÉUNIR VOS CONVIVES AUTOUR DE PLUSIEURS PETITS PLATS ET D'UN OU PLUSIEURS THÉS CHOISIS. IL EST PRÉFÉRABLE DE SERVIR TOUS LES PLATS SALÉS EN MÊME TEMPS, OU À MESURE QU'ILS SONT PRÊTS, ET LE DESSERT ENSUITE.

POUR VOUS FACILITER LA TÂCHE, J'AI PRÉVU DANS CHAQUE MENU AU MOINS UN PLAT QUE VOUS POUVEZ PRÉPARER À L'AVANCE, SIGNALISÉ PAR LE PICTOGRAMME*.

ÉVIDEMMENT IL NE S'AGIT QUE DE SUGGESTIONS ; ADAPTEZ CES MENUS À VOS POSSIBILITÉS, EN ÉLIMINANT OU EN RAJOUTANT DES PLATS SELON VOTRE INSPIRATION.

●

Autour des thés japonais et coréens

MENU SIMPLE
- Nouilles de sarrasin au wasabi
- Poulet frit
- Asperges et haricots verts au miso*
- Châtaignes au thé vert*

THÉS : *sencha*, *genmaicha*.

MENU ÉLÉGANT
- Concombre farci au crabe et au gingembre rouge*
- Chazuke au saumon demi-sel
- Foie de lotte cuit à la vapeur*
- Financiers au macha*

THÉS : *gyôkuro* ; *macha* glacé fouetté au dessert.

MENU CORÉEN
- Tartare de bœuf aux poires
- Croquettes de crabe
- Pommes de terre braisées*
- Boulettes de châtaigne*

THÉS : thé vert coréen, thé vert chinois *long jing* ou *sencha* japonais.

Prévoyez une salade de tranches de concombre et de tomate assaisonnée d'huile de sésame et de sauce de soja battues avec un peu de moutarde.

●

Autour des thés chinois

DÉGUSTATION DE THÉS
→ MENU 1
- Soupe crémeuse au maïs, servie avec un thé vert *long jing*
- Bouchées de poulet au citron, servies avec un thé blanc *yin zhen* au jasmin
- Œufs au thé, servis avec un thé oolong de Wuyi (de préférence un *rou gui* ou un *shui xian*)*
- Travers de porc à la sauce de prune, servis avec un pu-erh ou un thé rouge (keemun ou *ying de*)
- Soupe de tapioca à la mangue et au lait de coco, servie avec un oolong *dan cong**

Prévoyez une salade de coriandre (1 botte de coriandre bien lavée et essorée, vinaigrette à l'huile de sésame ou de cacahuète grillée, vinaigre de vin rouge, sauce de soja et 1 piment rouge frais taillé en filaments.)

DÉGUSTATION DE THÉS
→ MENU 2
- Toasts aux crevettes, servis avec un oolong *tieguanyin*
- Gâteau de navet, servi avec un pu-erh vert (doré au dernier moment)*
- Raviolis *chiu chow*, servis avec un lapsang souchong
- Soupe d'orange à l'anis étoilé, servie avec un oolong de Wuyi (*da hong pao*)*
- Crème de lait au gingembre, servie avec un thé rouge (par exemple un *ying de*)

Prévoyez une salade comme au menu précédent ou des légumes au wok.

MENU LÉGER
AUTOUR D'UN THÉ PU-ERH
- Œufs au thé*
- Toasts aux crevettes
- Tofu au sirop de gingembre

Prévoyez des légumes verts (pois gourmands, haricots verts) sautés au wok avec ail et gingembre.

MENU « ASIE DU SUD-EST »
- *Hor mok pla* (mousse de poisson en feuille de bananier)
- Satay d'agneau à l'ananas
- Bananes en chemise à la crème de coco
- Petits gâteaux au durian*

THÉS : thé vert avec le hor mok pla et le dessert ; thé glacé thaïlandais avec le satay. Vous pouvez aussi accompagner le tout d'un thé rouge ou d'un thé oolong de Wuyi (shui xian).

Prévoyez un plat de fruits et de légumes découpés — ananas, concombre, papaye, tomate, pêche, pastèque, oignon doux, banane… — saupoudrés de chili rouge en poudre et de fleur de sel.

●

Autour des thés indiens

AUTOUR DU KAHWA
- Croquettes de pomme de terre aux épices
- Filets de poisson à la mode parsie
- Poulet au safran, riz basmati*
- Halva de carottes*

Prévoyez un chutney de coriandre (1 bouquet de coriandre mixé avec quelques feuilles de menthe, yaourt, sel, poivre, ail et chili vert frais).

AUTOUR DU CHAI
- Crevettes en croûte d'épices
- Curry de boulettes « narcisse » (Nargisi kofta)*
- Pain perdu moghol (shahi tukra)*

Prévoyez une salade de tranches de concombre saupoudrées de sel, de sucre

et de *garam masala*, arrosées
de vinaigre de vin et parsemées
de coriandre fraîche).

•

Autour du thé à la menthe

MENU MAROCAIN
• Salade d'oranges aux olives*
• *M'hancha* au fromage et
aux légumes
• Briouats aux amandes*

MENU AFRICAIN
• Aloko, sauce aux crevettes
• Pastels au diable, mayonnaise
à l'huile rouge
• Roulades de sole farcies aux dattes
• Cornes de gazelle*

Le thé à la menthe doit être bien corsé.
Prévoyez une salade verte de votre
choix, la salade d'oranges du menu
ci-dessus ou des tranches de papaye
arrosées de jus de citron vert.

•

Autour des thés
russes ou iraniens

• Aubergines farcies aux noix*
• Kebabs de poulet au safran
• Les sept fruits du Nouvel An*
• Biscuits iraniens à la farine de riz*

•

Autour du thé turc

• Maquereau farci*
• Aubergines farcies aux noix*
• Manti à l'agneau
• Baklavadakia*

•

Autour des thés de Ceylan

• Rillettes de crevettes avec quartiers
de citron*
• Bouchées de poulet au citron (Chine)
ou poulet au safran (Inde)
• Blintzes au fromage blanc

•

Autour des thés rouges
aux essences d'agrumes
(Earl Grey, thés russes ou iraniens)

• Maquereau farci*
• Kebabs de poulet au safran
• Petits pâtés de Pézenas*
• Sticky toffee pudding

•

Autour des thés
rouges fumés

(lapsang souchong, tarry souchong)

• Toasts au hareng
• Rillettes de crevettes*
• Gratin de bigorneaux (Limpet stovies)
• Foies de volaille de la 6ᵉ Avenue*

•

Autour des thés verts

• Croquettes de tomate à la menthe
• *Pelmeni*
• Feuilles de chou farcies,
sauce à l'œuf et au citron*
• *Baklavadakia* ou cornes de gazelle*

•

Brunchs et high teas

N'oubliez pas de servir des fruits frais et
des salades pour équilibrer ces repas.

BRUNCH D'ÉTÉ
• Foies de volaille de la 6ᵉ Avenue*
• Salade d'oranges aux olives*
• Beghrir à l'huile d'argan
(qui sont aussi bons en hiver)

THÉS : darjeeling, thés oolongs
fermentés, thé à la menthe, thé glacé.

BRUNCH D'HIVER
• Coquilles Saint-Jacques grillées
• Pain à la cacahuète*
• Puddings au chocolat

THÉS : mélanges breakfast, assam,
Earl Grey, mélange Caravane.

BRUNCH ÉPICÉ
• Petits pâtés de Pézenas*
• Roulades de sole farcies aux dattes
• Tartelettes aux pommes et
au gingembre*
• Sablés à la cardamome*

THÉS : darjeeling, *chai*, *kahwa*.

BRUNCH BRITANNIQUE
• Flan de poisson
• Rillettes de crevettes
• Barmbrack, beurre et confitures

THÉS :
mélanges breakfast et tous thés rouges.

BRUNCH RUSSE
• Toasts aux harengs ou *rasstegai*
au saumon
• Pelmeni
• Blintzes au fromage blanc

THÉS : russes, Earl Grey

BRUNCH AMÉRICAIN
• *Corned beef hash* et œuf poché
• Pain à la cacahuète avec beurre
et poissons fumés (saumon, œufs de
saumon, esturgeon, etc.)*
• Tourte à la patate douce*

THÉS :
mélanges breakfast, Earl Grey, *chai*

HIGH TEA MARIN
• Rillettes de crevettes*
• Gratin de bigorneaux (Limpet stovies)
• Sticky toffee pudding

THÉS : lapsang souchong,
tarry souchong, oolong *shui xian* de
Wuyi, Earl Grey

HIGH TEA APRÈS 23 HEURES
• La médiatrice
• Salade d'oranges aux olives*
• Flan cubain au fromage blanc*
• Soupe de tapioca à la mangue
et au lait de coco*

THÉS : thé glacé, *chai*, darjeeling,
gyôkuro

Quelques adresses et liens

Jing Tea Shop
http://www.jingteashop.com
Boutique en ligne basée
à Guangzhou et directement
approvisionnée au marché de thé
de cette ville. Grands crus
de thés chinois, origines rares.

L'Empire des Thés
Boutique et maison de thé
de la société Kawa, importatrice
de thés de Chine.
101, avenue d'Ivry, Paris 13e.
Tél. : 01 45 85 6633.
69, rue du Montparnasse,
Paris 14e. Tél. : 01 45 85 66 33.
8, rue de la Chaussée-d'Antin,
Paris 9e. Tél. 01 47 70 68 29.

Lyne's
http://www.lynes.fr
Excellents oolongs, objets
de décoration et linge brodé.
6, rue Stanislas, Paris 6e.
Tél. 01 42 22 26 86.

Thés de Chine
20, boulevard Saint-Germain,
Paris 5e. Tél. : 01 42 22 46 64.
Thés de Chine et de Taiwan,
ustensiles, salon de thé.

Ch'a
Petite maison de thé chinoise
dans le VIe arrondissement de
Paris. Salon de thé, restaurant.
6, rue du Pont-de-Lodi, Paris 6e.
Tél. : 01 43 29 61 31.

Mariage Frères
http://www.mariagefreres.com
Le thé à la française. Crus
d'origine, théières, produits au thé
(chocolats, gelées...), salon de thé.
30, rue du Bourg-Tibourg,
Paris 4e. Tél. : 01 42 72 28 11 -
13, rue des Grands-Augustins,
Paris 6e. Tél. : 01 40 51 82 50
260, rue du Faubourg-Saint-
Honoré, Paris 8e.
Tél. : 01 46 22 18 54.

Kusmi Tea
http://www.kusmitea.com
Thés à la russe (plusieurs
variétés) et créations originales.
75, avenue Niel, Paris 17e.
Tél. : 01 42 27 91 46.

Salon de thé-restaurant au
56, rue de Seine, Paris 6e.

Le Palais des Thés
http://www.palaisdesthes.com

Jaya Teas
http://www.jayateas.com
Thés indiens des meilleures
origines.

• • •

Shopping

• Bambu : www.bambuhome.com.
• Bodum : www.bodum.fr.
• Compagnie française de l'Orient
et de la Chine (www.cfoc.fr) :
170, bd Haussmann, Paris 8e.
• Conran Shop
(www.conranshop.fr).
• Contemporary Ceramics :
ww.cpaceramics.com).
• Espace Han Seine :
32, rue Monsieur-le-Prince,
Paris 6e. (http://han-seine.
monsite.orange.fr)
• Espace franco-coréen, 55, rue
des Entrepreneurs, Paris 15e.
• Fishseddy : 889, Broadway et
19th st, NYC, NY USA.
www.fishseddy.com.
• Heath Ceramics
(www.heathceramics.com).
• Kim et Garo,
7, rue de Quatre-Vents, Paris 6e.
E-mail : kimetgaro@wanadoo.fr.
• La Forge Subtile :
place Saint-Sulpice, 3 rue Henry-
de –Jouvenel, Paris 6e.
• L'artisan du Liban :
www.alyad.com
30, rue de Varenne, Paris 7e.
• L'Empire des thés :
www.empiredesthes.fr
• « Les Orientables » :
http: //stores.ebay.fr/LES-
ORIENTABLES-BOUTIQUE .
• Sabre : www.sabre.fr.
• Silla,
10, rue Ernest-Cresson Paris 14e.
• Simirane,
25, rue Bonaparte, Paris 6e.
• Sensitive et fils,
31, rue de Faidherbe, Paris 11e.

Remerciements

Merci à :
Nathalie Démoulin pour
sa confiance et sa sagesse
d'éditrice ; Lissa Streeter
et Isabelle Rozenbaum pour
leur talent et leur superbe travail ;
Laurence Maillet pour l'élégance
de son travail graphique ;
Jennifer et Richard Wong pour
leur aide chaleureuse et
leur fidélité ; M. Mehdi Zar-Ayan ;
Gilles Brochard ; Patrick Denaud ;
Jacques et Laurent Pourcel,
qui, pour un tout autre projet,
m'ont ouvert les portes de l'Asie.
Chine : Jing Lu et Sébastien
Leseine ; maître Chen et
sa maison de cantonaise ;
M. Chen Weixiong, restaurateur
à Guangzhou ; He Zhanghe,
à Shanghai.
**Monde britannique et nord-
américain** : Adam Balic,
Ed Baum, Allan Brown,
Samantha Friar, Tim Hayward,
Vanessa Parrott, Maggie Rosen,
Max Schaefer.
Thaïlande : Pim Techamuanvivit
pour ses conseils et
en particulier pour la recette
des tod man pla ;
Malaisie : Robyn Eckhardt.
Ce livre est dédié à Benjamin et
à la famille Leblanc-Zar-Ayan :
Élisabeth, David, Loulou,
Mei Li et Jahodi.

Sophie Brissaud

Je remercie chaleureusement
toutes les personnes qui ont
contribué à ce que le livre
soit si vivant et si créatif :
Sophie Brissaud pour sa grande
richesse, Lissa Streeter pour
sa ténacité et sa créativité,
Hélène Robert pour ses paroles
et son aide photographique,
Laurence Maillet pour sa grande
finesse et Nathalie Démoulin,
éditrice, pour sa grande, grande
confiance. J'ai découvert des

saveurs, des textures, des odeurs
inconnues de thé qui m'ont
presque autant grisée que le vin !
Que notre table soit un champ
d'expériences...

Isabelle Rozenbaum

Merci à : Winnie Bolande,
qui m'a accompagnée tout
au long de ce livre avec diligence,
énergie et créativité ;
Pierre Maget de tekoe.ch et son
exquis cadeau de sencha-macha ;
Virginie Mounicot et Pascal
Cheik-Djavadi pour le prêt de
leurs lofts exceptionnels ;
Jennifer et Richard Wong ;
Mlle Pak, attache de presse
au Centre culturel coréen
(2, avenue d'Iéna, Paris 16e),
Liz Minn et messagemoms pour
leur aide et leur réseau d'amis
de diverses cultures à Paris ;
La famille Tavassoli, qui nous
a prêté son précieux samovar
de famille et qui m'a séduite avec
sa cuisine perse contemporaine
et son élixir de grenade
(en saison), chez Mazeh
(65, rue des Entrepreneurs,
Paris 15e) ; et So Rice (90, rue
Desnouettes, Paris 15e).
Et à nos tea party participants :
Angleterre : Tim et Loulou Bailey ;
Inde : Padma, Chloé et Romain
Prat ; Chine : Winnie et Hyam
Bolande, Sara et Luc, Claire ;
Japon : Ai et Bernard ; Asie du
Sud-Est : Gaga ; Russie : Joshua
Grainsky, Rene Hautin et Hélène ;
Autres pays du samovar : Farah,
Nathalie Borst et René Hautin ;
Maroc : Laurence et A. Maillet,
Claire. ; USA : Taina.
Et last but not least, à mes
parents, Tal et Romig Streeter,
qui m'ont emmenée vivre dans
les champs de thé à Ikedayama-
danchi, Shizuoka-sh (Japon).
So began a life-inspiring passion
for food, ceramics and the
subject of tea.

Lissa Streeter

Toutes les images réalisées pour cet ouvrage n'ont pu y trouver leur place.
Pour en voir plus, rendez-vous sur http://loreille-culinaire.blogspot.com/

• • •

Photogravure : Quadrilaser • Achevé d'imprimer en août 2007 sur les presses de l'imprimerie Graficas Estellas • Dépôt légal : septembre 2007 • Imprimé en Espagne